CUANDO NOS ALCANZA EL AYER

La lucha de un escritor atormentado en busca de la justicia

JOSÉ LEÓN SÁNCHEZ

CUANDO NOS ALCANZA EL AYER

La lucha de un escritor atormentado en busca de la justicia

grijalbo

CUANDO NOS ALCANZA EL AYER
La lucha de un escritor atormentado en busca de la justicia

© 1999, José León Sánchez

D.R. © 1999 por EDITORIAL GRIJALBO, S.A. de C.V.
        Calz. San Bartolo Naucalpan núm. 282
        Argentina Poniente 11230
        Miguel Hidalgo, México, D.F.

ISBN 970-05-1137-5

IMPRESO EN MÉXICO

Es cruel
la historia del derecho penal
cuando sabemos que en algunas ocasiones
los jueces usan los códigos
como un arma
para envilecer a un ser humano,
encubrir una mentira,
asesinar la conciencia,
arruinar a una familia,
o confundir a la nación.

EL AUTOR

A la memoria
del doctor Carlos Humberto Rodríguez Quirós,
arzobispo de San José,
por su lucha para que
con los reos
no se hagan experimentos criminales
como la lobotomía.

José León Sánchez

Índice

Presentación

Cada vida es una novela.

HONORATO DE BALZAC

Curiosidad en la historia literaria es que Honorato de Balzac, autor de una serie de obras que hoy se llaman *La comedia humana*, no incluyera entre sus novelas la vida en las prisiones. "La peor de las vidas", solía citar Víctor Hugo, en *Los miserables*.

No sé cómo llamar a esta obra de José León Sánchez. Toda novela se quedaría corta con las descripciones, capítulo a capítulo, que emergen y mueren en las páginas de este libro. Y biografía sería una teatralidad sin rumbo al describir infinitos momentos como los narrados aquí, donde el dolor, la soledad y la angustia gotean en aceradas palabras imposibles de seleccionar en una simple obra literaria.

Para millones de personas que en revistas, libros, cine, radio y teatro han conocido *La isla de los hombres solos,* éste debe ser lectura obligada.

En el conjunto de los derechos humanos, el hombre ha peleado, ganado o perdido las 45 000 guerras registradas desde el albor de la historia hasta el día en que, sobre Hiroshima, explotó la bomba atómica en el máximo de los horrores. Empero, existe otra violación al derecho del hombre: la vida, la libertad y la búsqueda de felicidad.

Este libro de José León Sánchez es un grito desesperado sobre un derecho: la libertad. En esta novela se ve, momento a momento, cómo el hombre pierde hasta el mínimo bien que nadie niega a las bestias: *unos minutos de sol*. En el campo de la libertad, en todo momento y para siempre, el presente libro será de antología. Se inicia con una historia que sería risible, a no ser por la hondura con que el escritor la narra: *una mujer, madre de un niño enfermo, como no puede venderlo en San José, lo regala* y el infante termina en un orfanato. Ella tenía como oficio el trabajo de Sara, esposa de Abraham: el más viejo del mundo, y conformó, junto con sus hermanas, una extraña corporación en la montaña.

Así ha de nacer un niño sin padres ni destino. A los 19 años, este joven con cara de niño recibe de la sociedad costarricense una marca: *reo número* 1 713. Y será el 1 713 en la ergástula infamante, por cinco años en un calabozo inmundo. Saldrá de ahí para ingresar en el infierno de *La isla de los hombres solos*.

La novela penetra en dimensiones insospechadas. Periodistas y escritores, sacerdotes, jueces y pensadores de oficio se niegan a reconocer que existe un lugar de infernal constitución, llamado *El presidio de San Lucas*. Es la tierra nutriente que ha de servir al escritor para crear su novela, ya famosa en el mundo y que a la postre causará la desaparición del presidio cuando sus páginas enlacren la conciencia de los ciudadanos en esa diminuta república llamada Costa Rica.

En este libro compartimos con *un hombre número, un hombre basura*, quien se alimentaba de la mugre, rodeado de ratas que no debían dejarse atrapar, so pena de convertirse en su almuerzo.

Es el 1 713, un número matemático de miseria; un día, gracias a la donación que le hacen Eva Duarte de Perón y la Facultad de Derecho de la Universidad de Buenos Aires, adquiere libros y aprende difíciles lecciones del derecho penal.

Fue sentenciado a pena perpetua en 1950 cuando era todavía un mozalbete y la barra de abogados de Costa Rica se negó al unísono a ejercer su defensa. Así pues, él fue su propio abogado.

Un hecho insólito en la historia del derecho constitucional de América fue que el Congreso emitió una ley para que tuviera un abogado defensor: la *Ley José León Sánchez*. Sin embargo, cuando el reo solicitó la suma de 325 pesos para sacarle copia al expediente y *saber de qué se le acusaba*, tanto el juez como el Tribunal Superior le negaron esa cantidad a la que tenía derecho por ley de la República.

Este libro es la historia de un escritor atormentado que luchó durante 48 años buscando la justicia. Toda esa lucha fue patética: en cualquier lugar donde se haya violado el derecho a vivir de un ser humano, también se violan los sueños y derechos de toda la humanidad.

No obstante, el libro también es hermoso: esta obra trata de la vida misma, *la novela de José León Sánchez*, el hombre que aprendió a escribir escribiendo y que ha dedicado muchos años de su vida a estudiar la historia de México y a darnos las páginas más frescas, hermosas y fervientes de su patria adoptiva: *Tenochtitlán: la última batalla de los aztecas* y *Campanas para llamar al viento*.

La crítica literaria dice *hoy* que puede haber novelas *parecidas* a *Tenochtitlán*... ¡pero no mejores!

José León Sánchez emerge de la prisión como un ave fénix: historiador, dramaturgo, novelista, profesor universitario, conferenciante internacional, agregado cultural en Europa, diplomático en Estados Unidos y viceministro de Justicia y Gracia de su patria en un mínimo tiempo de cuatro horas, que fueron los 240 minutos transcurridos desde el nombramiento y el alud de telegramas en los que se censuraba al Presidente Monge Álvarez por haberlo designado.

El escritor clamaba su inocencia con la fuerza de todos los aullidos del viento, pero eso no importaba a nadie. La sociedad prefería hablar de él con el mote de *criminal rehabilitado, ejemplo de regeneración*.

Tiene capítulos enervantes como el día en que firmó una autorización para que se le practicara esa perruna operación experimental llamada *lobotomía*; o los que narran las fugas, donde la tensión se hizo drama en la más pura tradición griega. El suspenso apretujaba el corazón y el alma. Al final, el fallo de la Sala Constitucional, Corte Suprema de Justicia, de la República de

Costa Rica, por hacer historia en la vida de un gran escritor, atrajo la atención de las agencias de noticias y de inmediato provocó el forum sobre los derechos humanos. ¿Y ahora qué?

"La sociedad consagra al escritor y... ¡después olvida!", escribía Séneca.

En el presente libro llegamos a un mítico final de *La isla de los hombres solos*. Este hombre, vecino y compañero durante muchos años de las ratas y los piojos y víctima de la tortura en todas sus formas, en *Cuando nos alcanza el ayer* no solamente brinda al lector la lección de una narrativa poetizante, donde hasta el amor es lloroso, sino también invita a meditar en la gran dosis de paciencia y fe que es capaz de atesorar el ser humano más allá de sus fuerzas y sueños, y el derrotero de lágrimas que fueron tapizando su existencia como el portador del número 1 713...

MASTER AHIZA VEGA MONTERO
Escuela de Filología
Universidad de Costa Rica

1. Era como la flor de la morera

Era como la hierbabuena, muy parecida a la flor de la morera, casi una copia de la obligación de amar que habita en el corazón. Hoy que narro esta historia... en que todo ha terminado en un camino enorme de casi 50 años, quizá, de estar aquí ante mí diría lo mismo: *era como la flor de la morera*.

Allá en el ayer de ayer, cuando éramos niños, la conocí en una esquina de la calle El Sol. Así se llamaba el camino que se inicia en la cuesta El Brasil y finaliza en la plaza de El Llano, casi en la esquina donde Carlos Luis Fallas, un zapatero, pasaba las horas y los días remachando sobre su rodilla el cuero que le enviaban de Cartago para hacer zapatos *Turrialba*.

—Ha llegado gente nueva.

Sí, gente nueva, diferente de la que procedía de San José, como don Alberto Echandi, quien vivía los sábados y domingos en un cafetal ubicado en la esquina de la calle del Higuerón y la casa rosada, solariega, con jardines enormes que parecían no terminar nunca propiedad del general don José María Pinaud. De éste, se decía que era muy querido y odiado por el gobierno, pues era dueño del periódico *La Tribuna*.

Mi abuelita dijo el nombre de la gente nueva: don Roberto, doña Teodora, dos niños y tres niñas. Luego, nos enteramos que don Roberto era un hombre importante en San José: abogado, periodista, poeta, campeón olímpico de natación, deportista de los buenos y gran inspirador del club deportivo La Liga de Alajuela.

17

Llegaron a vivir a la casa de don Federico Solórzano, que ya para entonces era *La casa del miedo*.

Don Federico Solórzano fue un venerable anciano, sabio como la sabiduría misma. Gran conocedor de cosas y épocas antiguas, amante de los jardines, tenía un cabello largo y blanco, así como una barba blanca y larga que casi le llegaba a la cintura. Le gustaba comer piedras y gusanos, bolas de barro, orinar sin quitarse los pantalones ni abrir la bragueta y pasaba todo el día hablando. Mi abuelita decía que don Federico *había perdido la razón*, y al terminar la frase se persignaba.

Junto a don Federico estaba siempre su hijo don Guillermo, alto, delgado, con barba y cabellera larga y negra y, al igual que su padre, siempre impoluto, vestido de chaquetón y corbata, lentes de concha de carey y bastón con puños de oro. Su labor de cada día era ser la sombra de su padre. Así fue durante mucho tiempo hasta que una mañana don Guillermo le pegó un tiro en la cabeza a su padre y luego se suicidó.

En El Llano por eso le llamaban *La casa del miedo*. En la mañana, cuando la gente iba a misa, hacía la señal de la cruz al pasar frente al lugar. En la tarde, cuando los viejos y las viejas regresaban de oír el rosario, de nuevo hacían la señal de la cruz. *La casa del miedo* se fue llenando de telarañas, nidos de pájaro bobo, el viento le reventó muchas tejas, las paredes se hundieron y una a una las ventanas se fueron quedando sin vidrios.

Abuelita murmuraba muy quedito:

—Es la casa donde a veces duerme el Pizuicas.

Y detrás de la casa donde existió un cafetal y un árbol de poró que también fue derribado por el viento y lleno de gusanos, como hecho serrín, en las noches lanzaba vomitadas de luz, como bolas de fuego que se miraban muy bien. Por eso había la historia, dicha por mi abuelita Dolores Casorla, de que *ahí habitaba el diablo*.

La gente nueva transformó la casa en menos que canta un gallo. Las palabras son de mi abuelita y así lo contaba a su hermano cuando la visitaba los domingos. Para Aracelly y para mí era muy hermosa la visita del hermano de mi abuelita: se llamaba don

Buenaventura Casorla, un hombre moreno, muy bien hablado. Venía a nuestra casa y traía jamón de San José y ramos de rosas para su hermana. Allá en San José era un hombre de mucho respeto: nada menos que abogado, escritor y durante mucho tiempo el secretario de Estado en el Gobierno de don Ricardo Jiménez.

Don Buenaventura Casorla, el tío abuelo, también muy amigo del nuevo habitante de la casa maldita: don Roberto; eran los tiempos en que vivía atormentado por la escuela. Tres veces había estado en primer grado y la nota máxima que recibí fue un seis en educación física. Por eso la maestra, de cara tibia y vestido almidonado, llamó a mi abuelita y le dijo:

—Doña Dolores, su nieto no puede aprender nada... en la escuela pierde el tiempo, es mejor que lo retire...

Y le adjuntó una lista de todos mis defectos: *muy listo para jugar el trompo y con buen pulso en la jugada de balines y bolitas.*

—Ya ve usted, doña Lola, que a veces se va con otros chiquillos a lo alto de la cuesta El Brasil y se regresa jugando bolinchas durante varias horas en tanto que usted lo cree en la escuela.

Y agregó:

—Para todo lo que es la escuela tiene un grado de deficiencia mental; no puede aprender.

A mi abuela eso le parecía raro. También ella me había conocido hacía poco tiempo. El Patronato Nacional de la Infancia le entregó a su hijo don Antonio a esos dos chiquillos. Antonio Córdoba Casorla, decía una y otra vez que *ese chiquillo no era su hijo.*

Y doña Dolores pensaba: *si su tío abuelo don Buenaventura Casorla es tan genio y tan inteligente, ¿por qué el chiquillo no heredó algo?*

La explicación era sencilla y la repetía don Antonio:

—Su madre era una mujer así y así, nadie sabe...

En ese tiempo no podía encontrar una respuesta a las palabras de don Antonio. No conocí a mi madre. El papel amarillo que estaba en manos de mi hermana Aracelly decía que había ingresado en el Orfanato de San José a los días de nacido.

En el documento se lee primero un nombre: Expósito... y una fecha: 19 de abril de 1929, y después se anotaba su nombre: José León de los Ángeles del Perpetuo Socorro y de la Santísima Trinidad, nacido en Cucaracho de Río Cuarto de Grecia.

Y un día la vi. Era como las mariposas del río Brasil. Estaba floreciendo: dos años mayor que yo. En la mañana, en la tarde, al mediodía y en la noche no era una niña como mi hermana.

Aracelly tenía un traje hecho con una bolsa vacía de azúcar, de colores blanco y amarillo de algodón, que usaba todos los días y después lo cambiaba por otro azul, que mi abuelita había teñido. El vestido de Aracelly era igual al overol y mis dos camisas. Mi hermana tenía dos vestidos y yo también.

Ella no era como nosotros; nunca la miraba triste. En la escuela recibía dieces. Y cada día usaba tres vestidos diferentes, pues tenía tantos que mi hermana y yo jamás podríamos contarlos con las dos manos juntas.

El día en que la maestra de escuela dijo una y otra *vez que no y que no* a pesar de los lloriqueos de doña Lola, ella me miraba y decía después de cada rosario:

—...y ahora ¿qué vamos a hacer, nietecito mío?

No podía entender su tristeza, pues en toda mi vida no había recibido ni iba a escuchar después una más hermosa noticia que la expresada por la maestra doña Margarita, la esposa del mecánico del pueblo:

—Es deficiente mental y nunca podrá aprender a leer ni a escribir.

Jamás podría entender esa trifulca y los lloros de mi abuelita. No comprendía por qué a un niño tenían que llevarlo a un aula y enseñarle tonterías. No me interesaba escribir, ni leer. Miraba los gallos de pelea de don Ernesto, que eran tan felices en el patio y no leían periódicos, ni escuchaban la radio ni nada. Entonces ¿para qué saber leer y escribir?

Muy pronto me di a hacer averiguaciones y vi que mi abuelita estaba muy equivocada: don Goyo Andrés el campanero, don Ernesto Ramos el sacristán y don Ignacio Muñoz —el que andaba siguiendo las guatusas, las lapas y los conejos por el río Rosales con una hermosa carabina hecha de un tubo viejo— no sabían leer, ni escribir. Tampoco Carmen Rojas la rezadora y Liliana Villalobos la zapatera.

Entonces, si todos eran tan felices, también quería ser como ellos y no como el general Pinaud, don Alberto Echandi o el abuelo Buenaventura.

—Son sabios —decía, con un dejo de reproche.

¿Y qué? Ellos no saben pescar barbudos con canasto, buscar nidos de oropéndolas, descubrir la cueva de los cangrejos en el río, brincar sobre las vacas recién paridas de los Vega Montero o sentir el aliento dulce de los requesones hirviendo sobre el fogón, no sabían hacer arroz con leche, dulce de piña ni tunas en vinagre.

Ella cambió mi vida de niño. *Ella* me hizo feliz. A *Ella* no le importaba que yo no supiera leer ni escribir.

Un día, el barbero José María dijo a mi abuelita:

—Si ese chiquillo no ha de servir para nada y su oficio será de tonto, ¿por qué no le "oficeas" en algo?

Metiche sí que era el hijo de puta de don José María, el barbero de El Llano. Y ella ni siquiera me preguntó, porque si me hubiera preguntado qué querría ser el resto de mi vida, le habría dicho:

—Quiero ser campanero como don Goyo.

En la mera esquina norte de la iglesia de La Agonía trabajaba el zapatero Carlos Luis Fallas[1]. Hombre raro, alto, muy enojado y también borracho. En las fiestas de El Llano, cuando se traían toros desde Santa Cruz de Guanacaste, el zapatero fue buen montador de ellos. Cantaba canciones muy de moda de Lorenzo Barcelata, Tito Guízar y Lucha Reyes. Canciones que la marimba de los hermanos Artavia había ensayado durante las fiestas de la Virgen de la Concepción.

Además de lo contado, don Carlos Luis Fallas era comunista, hablador de plaza pública y muy enamorado. Se decía que la

---

[1] Carlos Luis Fallas llegaría a convertirse en el gran novelista centroamericano, célebre por su obra *Mamita Yunay*. (*N. del E.*)

21

hija del guardia fiscal, que vivía en la orilla de la calle El Higuerón y era la señorita más hermosa del pueblo, estaba enamorada de él.

Cada semana repartía en todas las casas un periódico, el cual regalaba. Mi abuelita siempre lo recibía con mucho respeto y después lo usaba para atizar el fogón, sin desplegarlo siquiera. En el púlpito, ya el cura había hablado de don Carlos Luis Fallas, aun cuando nunca dijo que era ladrón, ni vago ni burlador de mujeres, pero sí (y repetía) que era loco. Si eso era cierto (y debía serlo porque lo había dicho el sacerdote en la misa), entonces siempre creí que don Carlos Luis Fallas tenía un destino muy triste y que un día su hijo iba a matarlo, como don Guillermo Solórzano mató a su padre, don Federico, porque estaba loco.

Por ello, a veces don Carlos Luis Fallas me inspiraba un poquillo como de lástima. Doña Lola nunca me dejó ir tras él como hacían otros chiquillos del barrio de La Inmaculada Concepción de Alajuela, quienes lo seguían cuando con sus perros de cacería, junto con el detective Mincho Cordero, se iban para las vegas del Rosales o El Brasil a buscar taltuzas, armadillos o ardillas.

Entonces, ¿por qué mi abuelita hizo lo que hizo? Después me enteré que había dado una ronda por el pueblo: visitó la fábrica de rosquetes de Artavia, los jardines del general Pinaud, el lugar donde las flores viven sobre tejas de barro, y allá por el sitio donde don Gauto tenía su falsa gallera. También habló con el campanero y el sacristán.

Mi hermanita luego me contó que el sacristán le dijo:

—Doña Lola, *no* y *no*, porque ese nietecillo suyo ni siquiera ha sido capaz de aprenderse de memoria el padrenuestro, ni el avemaría.

Se enojó mucho, pero no sé por qué, pues además era cierto, entonces me tomó de la mano. Antes me llevó a la quebrada llena de sembradíos de *ruibarbo* que corría detrás de nuestra casita de adobes y tejas, y a la que daba sombra un árbol viejo de naranjo con el corazón comido por las hormigas, y un lindo árbol de jamaica que olía muy bien en las mañanas al salir el sol.

22

En esa quebrada me había lavado la cabeza con jabón de chacho hecho por ella misma, y con un pedazo de teja vieja y rota me restregó los talones y los tobillos.

Don Carlos Luis Fallas, el zapatero, estaba leyendo un periódico cuando mi abuelita lo interrumpió para solicitarle:

—...es que quisiera que este nietecito estuviera aquí con usted y que lo enseñe a zapatear.

Hacer zapatos: mi abuelita quería que yo fuera el día de mañana un hombre útil, buen zapatero, como don Carlos Luis.

El zapatero me midió la vista y no se anduvo con tapujos.

—No, ese chiquillo no sirve para zapatero.

En el tiempo de los tiempos, cuando en mi memoria repaso ese *no* rotundo de don Carlos Luis Fallas, quien ese día estaba oloroso a cuero y a tintes, leyendo un periódico, me dije: "ah, si hubiese aceptado el ruego de mi abuelita, tal vez en verdad habría llegado a ser un gran zapatero como él..."

—Y ¿qué te dijo doña Lola?

—Nada —así se lo expliqué a *Ella*—. Nada.

Solamente lloró. Y no sé por qué se empeñó en que yo trabajara, pues para ese tiempo sabía que se puede vivir sin trabajar. Le pregunté si quería ser mi novia y dijo que sí.

Todo fue muy bonito: visitar cafetales para buscar panales, porque a *Ella* le gustaba mucho la miel; del jardín del general Pinaud robaba en la noche hermosos ramos de rosas para *Ella*; y cuando conseguía dinero, me le acercaba con un puñado de caramelos La Estrella, de los buenos.

Un día me dijo:

—Mañana, Josecito, mañana te voy a regalar un beso.

2. El hospicio

Era puta. A veces así es como toca. A Josefina le tocó también ser puta, pero después se convirtió en la amante de Napoleón y al final emperatriz de Francia. La madre de Ultrillo, además de puta y cabaretera, sabía idiomas y ganaba bien.

Mi madre, doña Ester Sánchez Alvarado, fue puta en la montaña, lo que la distinguía de toda otra prostitución. Las cosas de ella me las narraba mi tía Albina, quien también trabajaba de puta.

Otra de sus hermanas, Carmen, las acompañaba en la putería. Por último, Estebanía, la menor, formaba parte de las cuatro putas de la familia Sánchez Alvarado.

Siempre me he sentido muy contento de que en mi familia hubiese tantas putas. Esto es extraño y anormal, pero bueno, en algo se distinguían las hijas de doña Ester, la vieja.

Doña Ester la matrona no fue puta. Tenía una historia rara: formaba parte de una comunidad de indios con gran herencia huetar. En aquellos tiempos, los integrantes de su tribu, contaba monseñor Thiel, eran secuestrados en los bananales para venderlos como esclavos en los terrenos de los ingleses, donde existía un reino llamado *La Mosquitia*.

Los soldados de Nicaragua venían para robar indios que luego vendían en sacos a los bongueros del río San Juan. Lo hacían río abajo hasta Greytown, el lugar que alguna vez visitó Víctor Hugo antes de ser famoso.

Nuestro pueblo se llama *Cucaracho de Río Cuarto de Grecia*, un nombre muy largo para un pueblo tan pequeño. En verdad, ni siquiera era pueblo, sino una ranchería rodeada por una laguna que nace en la cabecera del río Cuarto.

Antes de ingresar monseñor Thiel en esos lugares del río San Juan y dejar ahí a un sacerdote, el nombre de las personas era distinto. Este español se dio cuenta que todos los cristianos nuevos tenían nombre de perros, cosas, flores, lugares, caimanes, garzas, piedras y crecidas y bajadas del río. (Mi abuelo se llamó Urcú, que quiere decir *león*.)

Un buen día, llegó con el jefe político de San Carlos y dijo que todo el pueblo tenía que dejar de estar *satanizado*. Nadie más tendría nombre de flores, rocas, crecidas del río, caimanes adormecidos o vientos del huracán.

—No y no. ¡Nunca más!

Así, desde mi abuelo para arriba y desde mi abuelo para abajo, todos recibieron nombres cristianos. Como no tenían un segundo nombre, les regaló el propio: en el pueblo de mi abuelo todos fueron *Sánchez Alvarado* porque el padre Casimiro, natural de Murcia, tenía los apellidos *Sánchez Alvarado*. Bueno, no así: *De Sánchez y Alvarado*, pero ¿qué más da?

Entonces mi madre y sus hermanas vivían de la putería. Seguro que sí. La madre de mi madre era una india añejísima, de ojos color café, de trenzas pardas y de mirada fúrica. Vivió en la limpidez de la montaña hasta la tarde aquella en que fue devorada, junto con la hija menor, por un par de jaguares en la quebrada del Lomo Azul. La abuela también tuvo sus amores con un hombre que llegó desde Alemania para comerciar con raicilla y hule. Le decían el *Macho Loco*. Y así nació mi madre, de ojos verdes, cabello rubio, piel blanca y bella como las bellas. Así contaba la tía Albina.

El oficio de *puta montañera* como que no fue nada despreciable y sobre todo porque las hermanas Sánchez Alvarado tenían el monopolio. Mi madre Ester Sánchez, la más bonita entre las hermanas, y las otras medio encebadas, medio bellas, medio hermosas, pero muy hembras.

—Así, así, nos "tirábamos" en una sola noche hasta quince huleros —contaba tía Albina.

25

La montaña entera estaba llena hasta el infinito de árboles de hule. Debajo de ella aparecían millares de plantas de raicilla. Indios, zambos, gente joven y vieja, todos vivían en lo más adentro de la selva. A las cuatro de la mañana desde el campamento (en muchos campamentos) salían los huleros para llevar a cabo el ordeño: hacían grandes zanjas en la corteza de los árboles y se pasaban el resto del día ordeñándolos. Se puede decir que mi madre era muy inteligente. Creo que, como me la ha pintado su hermana Albina, llegó a poseer algo así como una *corporación de putería*.

Si allá en una tarde de tantas se acercaba por los rumbos del muelle de Sarapiquí alguna mujer en busca del negocio, las hermanas Sánchez Alvarado le daban una paliza y la puta frustrada tenía que regresar a San Carlos.

Las cuatro hermanas también tenían una tienda grande de hule y gangoche y la jalaban de un campamento a otro. Cuando les empezó a ir bien, compraron una mula y después otras tres. ¿Y saben por qué? En aquel tiempo, una puta era cara: acostarse con una de ellas costaba un peso, algo así como cinco centavos de dólar. Los huleros no tenían dinero en efectivo y pagaban con vales para el comisariato de los Kooper de Grecia. Pero cuando esos *vales* llegaban hasta el comisariato, ya estaban como devaluados, y en las manos de las putas hasta se los recibían por la mitad.

La tía Albina dice que a mi madre se le ocurrió comprar una mula carrilera, de las buenas, de las que no se ofuscan ni se pierden en la montaña. Y después tres más, de modo que las cuatro hermanas empezaron a cobrar *en especie*. Entonces hacer el amor empezó a valorarse en kilos de hule seco, por ejemplo: un tiempo de amor llegó a costar a los huleros hasta diecisiete kilos de éste. Así, las putas regresaban desde la montaña con las mulas llenas de hule seco, y con el tiempo contrataron a un arriero, quien, en tanto ellas desempeñaban su oficio, regresaba con el fin de vender el hule y de nuevo estar presente para cargar.

El negocio de mi madre y sus hermanas duró hasta que se terminó el auge de las hulerías. Después, las hermanas se disgregaron: una de ellas se honró, la otra perdió un ojo en una refriega con un hulero que no le pagó, y mi madre... bueno, con exactitud no sé qué sucedió con doña Ester Sánchez Alvarado. Pero con los años apareció *honrada* con el telegrafista Toño Córdoba Casorla, quien de seguro fue mi padre, el mismo telegrafista que con el tiempo, después de la revolución de los Tinoco, llegó a ser coronel del Ejército de Costa Rica. Nacieron a doña Ester muchos hijos y otros tantos murieron, pero ella no había nacido para tenerlos. No más al nacerle uno, *lo vendía*. Así llegó a vender doce hijas y dos hijos.

Cuando nací, estaba muy enfermo y doña Ester dijo a un hombre que andaba en las rías del Cuarto vendiendo sal:

—Te regalo este chiquillo.

A don Serafín le dio mucha pena ver al chiquitín ese, pero lo metió entre los sacos de sal y, luego de caminar tres días, lo dejó en el Hospital San Rafael de Alajuela. En ese lugar existe un recibo que dice:

—José León de los Ángeles del Perpetuo Socorro y de la Santísima Trinidad, hijo de Ester Sánchez Alvarado, comerciante de hule. Niño en abandono.

Los primeros años de mi vida iba a pasarlos en el Hospicio de Huérfanos de San José. Ahí conocí a mi hermanita Aracelly.

—Ésta es tu hermana —había dicho sor Gabriela.

Sor Gabriela era buena, dulce, de modo que la ternura se le escapaba entre sus manos, pero un día dijo a cinco chiquilines juntos:

—No soy la mamá de ustedes; desde ahora en adelan _ me han de llamar *madre Gabriela*, y al que me diga *mamá* le pego.

Cuando le llamaba *mamá*, me golpeaba, lo cual hacía que tuviera ganas de orinar, y entonces vivía orinado siempre. Al ser un niño que se orinaba tanto no me daban permiso de usar colchón, no tenía derecho a usar colchón: dormía sobre tablas llenas de alepates.

Recuerdo a sor Juana, quien a mi hermana y a mí nos hacía cosas. Nos encerraba en lo que correspondía al calabozo, un lugar oscuro donde se metía a los niños que se portaban mal:

como olvidar una a una las oraciones de Santa María o el padrenuestro; no poner buen cuidado en la hora de la misa significaba un castigo.

Sor Juana nos llevaba a mi hermana y a mí a este lugar, donde nos desnudaba y luego ponía su boca sobre mi pipí y me chupaba hasta que sentía un gran ardor y me dolía. Mi hermana, que era mayor, no lloraba cuando sor Juana le chupaba el lugar por donde ella orinaba: le gustaba que la madre Juana la chupara y le mordiera unas pelotillas que tenía sobre el pecho.

Una mañana nos fugamos del Hospicio de Huérfanos. Ese día era domingo. Mi hermanita y yo lo habíamos planeado.

Los domingos, a los niños más hermosos les ponían lo mejor de los uniformes aquellos y caminaban adelante. Todos teníamos la orden de reír cuando íbamos rumbo al zoológico y sor Juana decía:

—Rían, chiquillos, para que la gente vea cuán felices son los niños del Hospicio de Huérfanos.

Primero fueron andurriadas por San José. Era verano y dormíamos en los caños que pasan debajo del cruce de las carreteras. Pedíamos limosna en la avenida Central y nos iba bien. Pero días después mi hermanilla se encontró a un amigo que nos llevó a vivir a su casa, un hombre mayor, con el rostro lleno de arrugas y la cabeza blanca. Su oficio era recoger papel y cartones en las calles y nosotros le acompañábamos. Recuerdo que dormíamos con él en una cama grande sobre cartones. La primera noche, mi hermanita Aracelly casi no me dejó dormir, pues la pasó llorando y también otra noche y toda una semana. Pero después ya no lloraba y dormíamos muy bien.

El papelero se llamaba Ramón. Hacía arroz guacho con grandes pedazos de carne de cerdo, y a mí siempre me daba caramelos. Trabajábamos con él todo el día recogiendo papeles, cartones y trapos.

Una mañana, cuando todos estábamos dormidos llegaron unos señores, rompieron la puerta y, para mi sorpresa, tomaron a don Ramón y le amarraron las manos con una cadena muy larga.

Después, mi hermanita, toda llorosa, me explicó que se lo habían llevado a la cárcel que está en el río Torres.

A nosotros nos separaron. Yo regresé al Hospicio de Huérfanos y a mi hermana la regalaron a una familia que vivía en San Carlos. Iban a pasar muchos años para que volviera a saber de ella: alguien contó que, cuando tenía quince años y ejercía la prostitución en esa villa, un nicaragüense la había matado porque se negó a entregarle toda la ganancia que había tenido esa tarde en la Plaza de Ganado.

3. El pelón de la camisa roja

El señor Presidente de la República fue invitado a conocer el Centro de Menores San Dimas. Años antes, la idea se le había ocurrido a otro presidente: don León Cortés Castro.

El Centro de Menores era una copia de no se sabe dónde. Alguna gente murmura que se inspiró en una película de Spencer Traicy: *Ángeles con la cara sucia.*

En el Hospicio de Huérfanos, las Hermanas de la Caridad ya no querían recibir a niños mayores de once años, sino solamente a los expósitos que algún día fueron dejados en torno de la iglesia cercana.

¿Qué hacer con aquellos niños? Así, se les ocurrió crear una especie de asilo para muchachos menores de diecisiete años. Al respecto, se realizó un contrato por 99 años para entregar el refugio de menores a una congregación religiosa hispano-italiana, llamada San Juan Bautista de la Salle.

Los hermanos de la Salle, especialistas en curar, educar y reformar a los niños de la calle (los ángeles de cara sucia), entre otros: el hermano Agustín, un viejo tofo y cascarrabias que usaba como látigo un palo de escoba; el hermano Juan, un mozalbete italiano que mascullaba el español como mascando tabaco; el hermano Ernesto, con cara de zopilote del mercado; y el hermano Félix, el director, un francés amable y bueno. Como padre de familia, este último se habría anotado un excelente en todo lugar.

—Observo a varios muchachos que visten una camisa roja...

—Señor Presidente: son sólo tres chiquillos. Ése que está ahí es el más pilluelo de todos: le llamábamos Cordobilla. Este Cordobilla es un *tequio*. Del Hospicio de Huérfanos se fugó como unas veinte veces. La última lo hizo acompañado de su hermana y andaban por las calles pidiendo limosna. Como usted puede ver, señor Presidente, además de una camisa roja que los distingue, también están rapados con una cruz en la cabeza.

—¿Una cruz en la cabeza?

—Es una idea del hermano Ángel: para ahuyentar al diablo que ese chiquillo lleva adentro. Así, usted puede ver que don Hernán, el jefe de guardias, puede distinguirlo en toda parte que se encuentre: ya sea en la huerta, la piscina o los patios. Son tres de ellos y se les tiene prohibido estar fuera de los ojos del celador.

—Ah, entiendo, entonces entiendo.

El señor Presidente llegó de visita al Centro de Menores San Dimas, en compañía de los socios del Club Rotario. Era un día hermoso.

Nos brindó helados, galletas azucaradas, globos de hule y bolas de futbol. Y, ante todos los chiquillos, nos habló desde una silla.

La verdad, nunca antes escuché a nadie hablar de la forma como él lo hizo. Expresó su anhelo de tener un hijo; nunca Dios le había dado tal felicidad, y por eso él y su esposa tenían mucha tristeza.

Nos invitó a expresar si teníamos alguna queja. De inmediato levanté la mano, pero un compañero, Siles, rápido me hizo bajarla y dijo:

—Tonto, no seas tonto —después me explicó—: este señor se marcha en una hora y nosotros nos quedamos aquí. Nos azotará el hermano Agustín.

Al final de su discurso, el señor Presidente lloró. Sí, de verdad lloró. Besó a algunos de los chiquillos, me puse en la fila, pero cuando estaba ya muy cerca, el hermano Agustín me hizo a un lado y no recibí el beso.

Luego visitó los talleres: telares, carpintería, sastrería, mecánica, huerta y zapatería.

—Y ese muchacho de la camisa roja y la cruz en la cabeza, ¿qué está aprendiendo?

—Nada. Es muy tonto y no aprende nada; tiene una historia muy rara: su madre es una campesina de la montaña que al parecer solía tener muchos hijos que vendía en la ciudad de San Carlos. Ese muchacho enfermó y su madre no pudo venderlo.

—¿Vendía a sus hijos?

—Y también a los hijos de sus hermanas. De este lugar, el muchacho ya se ha fugado siete veces. No aprende nada, ni siquiera sabe el padrenuestro o el Señor Mío Jesucristo. Es rebelde y vago.

Así me enteré después que el jefe de guardias don Hernán Aguilar le había informado.

En la noche saboreaba un caramelo, y meditaba que en verdad el señor Presidente tenía que ser un hombre muy bueno. Miré cómo cada vez que daba un beso a los chiquillos seguía llorando.

Al día siguiente le hablé a Siles:

—Me he dado cuenta que ya sabes hacer cartas.

—Ya sé hacer cartas, Cordobilla, y también sumas y restas; un día seré abogado.

—Pues... ¿de verdad...? ¿puedes hacerme una carta?

Lo convencí. La carta fue dirigida al doctor Rafael Ángel Calderón Guardia, Presidente de Costa Rica. Ésa fue la primera carta en mi vida. No la escribí, pero en verdad que la medité hasta altas horas de la noche.

En la carta decía la alegría que nos había dado su visita, y más: muchos años que no teníamos tantos helados, galletas y caramelos. Recordaba las palabras dichas por el Presidente de que *algún día Dios iba a premiarlo con un hijo*... sus expresiones de tristeza por no tener ninguno. Una casa sin las risas de un niño, ni juguetes ni bicicletas, no era una casa, manifestó él en una forma muy linda, que se pegó en mi corazón y me quitaba el sueño.

En la carta le decía que *ya no le pidiera más a Dios, y agregaba que, el chiquillo de la camisa roja, deseaba ser su hijo.*

Le solicité me adoptara: "Sé que le han dicho cosas, señor Presidente, pero es que no puedo vivir entre rejas y por eso me he fugado tantas veces".

Le ofrecí ser bueno, amarlo mucho a él y a su esposa... Ser un hijo obediente y aprendería a rezar, escribir y leer. Agregaba que iba a portarme tan bien que estudiaría mucho para llegar a ser como él, un buen presidente de Costa Rica.

Adonais, una chiquilla con cara de ángel, hermana de Siles, llevó la carta al correo un día después de la visita.

No lo sabía, pero estar encerrado me producía una enfermedad. Muchos años después iba a saber que padezco de claustrofobia; esto era lo que me inducía a las fugas.

Estaba harto del centro para menores. No es necesario repetirlo aquí, pero desde entonces el hábito religioso de un hermano de La Salle me produce náuseas. Los hermanos de la Salle, seres crueles: creían que el látigo y el palo eran el mejor método para educar a un niño sin padre y sin madre.

Al igual que en el Hospicio de Huérfanos, existían calabozos. Ahí, por cualquier cosa nos encerraban en la celda. El trabajo y el poco descanso fueron parte de una extraña forma de educar que llamaban *terapia reformista*.

Uno a uno iban pasando los días, las semanas, los meses... y el doctor Rafael Ángel Calderón Guardia jamás dio respuesta a mi carta. Sus palabras tan convincentes que en mi mente no tenía amago de duda de lo desesperado que se sentía el señor Presidente por no tener un hijo. Y la idea que había tenido de ser su hijo resolvería a él y a su esposa todos los problemas y angustias de soledad. Terminé por pensar que tal vez ellos adoptaron a otro niño o quizá a una niña.

El silencio del señor Presidente me causó —eso sí— mucha pena y aumentó mi soledad. En esos años, el mandatario hizo la primera reforma social en América Latina. Inspirado en las doctrinas cristianas de la Iglesia católica y muy en especial en la carta *Rerum Novarum* del papa León XIII, llevó a cabo toda una reorganización social, una auténtica revolución sin armas y sin derramar sangre.

Muchos años después, eso le causó una persecución. Contra él se hizo una guerra civil en 1948 que lo obligó a huir de Costa Rica hacia Nicaragua; en la fuga perdió un ojo.

En Nicaragua volvió a casarse y allí le nació un hijo, quien mucho tiempo después heredó de su padre un partido político y llegó a ser presidente de Costa Rica.

Por haber estado varios años en ese centro para menores, los tribunales de justicia iban a declarar que José León Sánchez tenía *antecedentes penales y así se consideró como agravante en la sentencia por 45 años de prisión que se me impuso.*

4. Las joyas

Así ingresé —paso a paso— en el día más negro de mi vida. Para mí, seguía siendo don Roberto, el hombre inteligente, abogado, campeón olímpico y poeta de gran mérito; además tenía la hija más hermosa del mundo.

Ella no era ya la niña de mis tiempos en el Llano de Alajuela, sino una morena con una belleza serrana, reverdecida por todas las primaveras de la existencia. Bastaba que *Ella* me diera una sonrisa para que yo sintiera que se me iba a derretir el corazón.

En ese momento la amaba más que a nadie. La amé siempre como si con *Ella* hubiera recibido por herencia de Dios todos los rayos del sol. Su padre me había ayudado a lograr un trabajo en la estación de Radio City de don Antonio Múrulo. Mi labor era de *reportero*. Andaba en la calle con una libreta tomando notas de las cosas que pasaban y cada hora llamaba a la estación. Tenía un carné que decía: *reportero de Radio City*.

En los Ángeles de Cartago tenía su centro de adoración *La negrita*, una imagen hecha de piedra negra que, en sus inicios, los mulatos del barrio de La Puebla habían escogido soberana, como la interpretación de la Madre de Dios. Era una imagen contraria a la madre de los blancos españoles, que cayó en desuso después que los indígenas habían destruido la iglesia de Ujarrás.

El 13 de mayo de 1950, la Virgen de los Ángeles era no sólo un tesoro nacional desde el punto de vista religioso, sino también una institución psicológica en la mente del pueblo, católico o no.

El año 1950 fue aquel en que la fe religiosa reverdecía en el corazón de cada habitante de Costa Rica. El 13 de mayo en la mañana, los noticieros dieron una alarmante noticia: *En horas de la noche, en determinado instante, un grupo de hombres procedió al despojo de las joyas guardadas en la basílica y un guardián fue asesinado.*

Habitaba en San José en casa de mi prima Nelly Barrantes en el barrio Corazón de Jesús, junto al río Torres. Precisamente fue mi prima quien escuchó la radio y narró la historia a la hora del café.

De inmediato me fui, tomé la cazadora (autobús) de San José a Cartago y enfilé hacia esa ciudad en busca de noticias que resultaran útiles para el noticiero de las nueve de la mañana. Tal vez fue mi suerte que una hora después me capturara la policía al escuchar que hacía preguntas a toda la gente y que era un personaje extraño. Se me llevó ante el comandante don Dagoberto Cruz, quien, cuando me identifiqué como reportero de radio, me dejó en libertad.

Había regresado a San José a las 11 de la mañana, una hora oportuna para el noticiero de las 12. Y esa fue toda mi participación en los hechos.

Días después, *paso a paso*, ingresé en la hora de mi desgracia. Visité la casa de don Roberto, su padre, me invitó a entrar en la oficina. Estaba agobiado; nunca antes lo había visto tan nervioso como en ese momento.

—Buenas tardes, don Roberto.

Cerró la puerta tras de mí.

—Necesito su ayuda...

Caminaba de un lado a otro de la oficina. Me extrañaba el temblor de sus manos, parecía beodo, pero yo sabía que él no tomaba alcohol.

—Me urge su ayuda...

—Claro, don Roberto, lo que usted mande.

Traté de enfatizar mis palabras como para darle un poco de calma. Luego me hizo jurar que la ayuda debía ser *de todo corazón*.

—Con todo mi corazón, don Roberto, usted bien lo sabe...

—José León... por esas cosas de la vida, me he metido en un problema muy grave —empezó a hablar. Sentí que sus palabras horadaban mi pensamiento y que al mismo tiempo entristecían mi corazón. Una a una de sus frases eran como hierro. Adoraba a su hija y sentía por él un respeto filial.

—Pero, don Roberto... ¿cómo sucedió?

—Eso no importa...

Su tono cambió en un instante: era duro y reservado.

Antes de que él agregara una palabra, le dije:

—Yo haré todo por usted, todo...

—¿Todo, José León?

—Todo, don Roberto, y usted lo sabe...

Escuché una segunda explicación: *él no había participado en el crimen.*

Lo repitió y al hacerlo me tomó las manos y las retuvo entre las suyas, con afecto, como invitándome a orar:

—¿Me cree usted...? ¡No he participado en el crimen!

Clavó su mirada en mi rostro y repitió:

—Debe creerme, no he participado en este crimen.

No le respondí. Que hubiera participado o no, eso me tenía sin cuidado y lo importante fue para mí como una felicidad: *el padre de la mujer que yo amaba me estaba necesitando.*

Sobre el escritorio tenía varios periódicos, que en su primera página narraban los hechos de la basílica. También había voces religiosas y seglares que pedían aplicar *la pena de muerte a los culpables.*

Uno de los periódicos llamó mi atención: un letrero en rojo a toda la plana clamaba el patíbulo para los asesinos.

Don Roberto siguió mi mirada y puso un pañuelo sobre el periódico. Salió de la oficina y quedé solo. Regresó en un instante con una bolsa de papel grande y de ella sacó cuatro latas de leche en polvo y las puso sobre el escritorio.

—Me ayudará, sí, me va a ayudar —repetía como hablando solo. Guardé silencio y agregó:

—José León, estas latas contienen joyas...

37

Recuerdo que las miré con espanto sin atreverme a recibir una, que me ofrecía.

—No, no, no tema... si procede con cuidado, nunca nadie sabrá que estas latas estuvieron en sus manos por unas horas.

¿Por unas horas? Creí que trataba de que yo las ocultara, pero la idea era otra.

—Esta noche, después de las seis de la tarde, va a dejar estas latas, como al descuido, en algunas calles del barrio Keith y en el Marino.

El barrio Keith era como el barrio bajo de San José, lugar donde vivía gente de la chusma, marihuanos y ladrones. El Marino era una calle de San José aledaña a la avenida Doce, lugar de prostitutas y rufianes.

—Camine con cuidado y solamente déjelas en el quicio de alguna puerta o de una ventana. Tenga cuidado que nadie lo vea... se lo repito: nadie debe verlo.

Antes de marcharme, me dio un abrazo y me entregó un libro de Vicente Blasco Ibáñez, llamado *La catedral*.

—Lea este libro y después le daré explicaciones.

Se me hizo enorme la tarde para esperar que llegara la noche. La idea era clara y no dejaba de ser un plan audaz: yo dejaría esas latas llenas de joyas que provenían del robo de la basílica y, por supuesto, éstas después iban a aparecer en manos de topadores, rufianes, putas o delincuentes.

A la idea no le miraba pies ni cabeza: era lógico que cuando esas joyas aparecieran en manos de los delincuentes fichados, ellos iban a decir que las encontraron, no que las robaron, y la policía identificaría sus palabras como una verdad. Sin embargo, no estaba en mí poner en tela de duda el plan de don Roberto.

Cumplí con lo recomendado. En una calle del barrio Keith dejé unas latas y otras en la calle Marino. Regresé a la casa como a las nueve de la noche. Encendí la luz y empecé a leer el libro de Vicente Blasco Ibáñez. Se trataba de un robo efectuado en una vieja catedral de España. Era la historia de un asalto y de cómo fueron despojadas las joyas de una imagen religiosa.

Me dieron altas horas de la madrugada repasando el libro y entonces pude entender la idea de don Roberto para que lo leyera. Pero siempre me quedaba algo oscuro: *¿por qué?*

Al día siguiente esperé dos horas hasta que llegara don Roberto a su casa. Durante ese tiempo hablé con *Ella*, amorosa, infantil y sin saber nada de la tormenta por la que pasaba su padre y en la cual yo estaba inmerso.

Cuando don Roberto llegó a su casa, a las cinco de la tarde, me condujo a su oficina. Le expliqué lo que había hecho y cómo fue el procedimiento.

—¿No se ha dejado ni una sola de esas joyas?

—No, ¡claro que no!

Estaba más calmado. Intenté solicitarle más explicaciones y él me regaló trescientos pesos y dijo:

—Le doy este número telefónico, llámeme dentro de tres días.

Esa misma noche, al ingresar en la casa donde vivía, mi prima Nelly me notó esquivo y nervioso. De esa forma había ingresado en la hoguera que Costa Rica estaba viviendo. Devoraba los periódicos: se decía que había llegado al país un grupo de investigadores del FBI.

Recuerdo que en las noches no podía dormir. Era como un presagio de la tormenta que se iba a cernir sobre mi vida y, en ese momento, no tenía siquiera noción de cómo era realmente.

Mi acción fue mala. También había cometido un delito que se llama *encubrimiento*. Estaba obligado por ley a delatar al suegro, contar lo que él me había solicitado; pero don Roberto era el padre de la mujer más hermosa del mundo, y esa idea jamás pasó por mi mente.

Así fue como, paso a paso, ingresé en la hora más amarga de mi vida.

5. La catedral

Al terminar de leer el libro de Vicente Blasco Ibáñez, me vinieron a la mente mil preguntas. ¿Qué tanta participación en el crimen de la basílica había tenido don Roberto? Toda su vida fue un hombre bueno, excelente padre de familia, abogado honesto y hombre de bien. La idea de verle involucrado en un asesinato dentro de la Basílica de los Ángeles no cabía en mi mente. Empero, la verdad parecía otra: él tenía las joyas de la basílica.

En el libro *La catedral* estaban muy claros la idea y los propósitos de un crimen similar al ejecutado en la Basílica de los Ángeles, su autor lo terminó de escribir en la playa de Malvarrosa, Valencia, en 1903. Blasco Ibáñez, integrante de la Generación del 98 en España, estaba imbuido de las ideas anticlericales de la época.

La novela se ubica en Toledo y gira sobre la iglesia de Santa Catalina. La virgen, que descendió del cielo y a la que dedican el santuario, está representada por una estatua viejísima fabricada de madera, alrededor de la que existe toda una historia de aparición milagrosa. Gracias a su fe, la gente ha recibido de ella miles de milagros y ha respondido inundando las paredes de donaciones: metales preciosos y joyas deslumbrantes.

La corona de la virgen, lo mismo que el manto, está tapizada de crisoberilos, amatistas, rubíes, diamantes, esmeraldas, topacios y ópalos. La corona y sus joyas se hallan valoradas en millones de duros.

Blasco Ibáñez presenta en su obra cuatro personajes. Uno de ellos, Gabriel Luna, es el guardián de la catedral, un hombre humilde, rodeado de gran pobreza, pero firme lector, conocedor de toda la Generación del 98, de las obras del Siglo de Oro y ferviente admirador de Zola, Balzac y otros escritores franceses. También ha leído el libro en el que un escritor francés se burla de los milagros y apostrofa la existencia de la Compañía de Jesús. Este hombre, cuya labor es cuidar la *catedral* en las noches, no duerme y pasa las horas leyendo hasta la llegada del guarda que lo ha de relevar al amanecer.

Gabriel Luna tiene tres amigos: Mariano, el campanero y guardián de todas las llaves de la catedral, un zapaterillo y su amigo Tato, ambos beodos de profesión.

Una noche los tres visitan a Gabriel: para ingresar en la iglesia usan las llaves del campanero. Vienen del café Zacodover, donde los tres han estado elaborando un plan: secuestrar a Su Eminencia el arzobispo de Toledo y pedir por él una gran cantidad de dinero. El arzobispo muere en esos días y los complotados se quedan sin su plan.

Ellos estaban hartos de la miseria de sus vidas. Esa noche traen licor y lo ofrecen a Gabriel, pero éste es abstemio y no acepta. Extraña a Gabriel el atuendo de sus amigos: iban vestidos en forma bonita, como en un día de fiesta o en premura de hacer un largo viaje.

La novela está constituida dentro de las corrientes del romanticismo, muy al estilo Blasco Ibáñez, escritor heredero de la técnica de Víctor Hugo, quien se daba el lujo de presentar un diálogo, una oración y después dedicar diez páginas a describir las ventanas ojivales góticas de Nuestra Señora en su obra *El jorobado de Nuestra Señora de París*.

Al final de la novela, Ibáñez inicia un camino de duda sobre el lugar donde está Gabriel. Duda de los milagros:

Esos caprichos de luz han sido una mina inagotable para los sacerdotes. También las venus de otros tiempos cambiaban la expresión

41

de su cara, riendo o llorando, a gusto de los fieles, como una imagen cristiana.

Gabriel pensó largamente en el *milagro*, invención de todas las religiones y tan antiguo como la ignorancia y la credulidad humana.

El momento que vive el guardián Gabriel, Ibáñez lo describe con cuidado, casi con amor:

Oscureció.

Después de cenar parcamente, Gabriel abrió un libro que llevaba en su cesta y púsose a leer a la luz de su linterna. De vez en cuando levantaba la cabeza, distraído por el revoloteo y los gritos de los pajarracos nocturnos, atraídos por el resplandor extraordinario del bosque de cirios.

El tiempo transcurría lentamente. En la oscuridad de las bóvedas retumbaban los argentinos martillazos de los guerreros del reloj. Luna se levantaba y recorría la iglesia visitando los contadores para marcar su ronda.

A las 10 de la noche escucha un ruido y se abren las puertas de la iglesia, por donde ingresan sus amigos, a quienes él trataba siempre de meterles en la cabeza sus ideas revolucionarias.

Llegaron, dicen, porque quieren acompañarlo en su velar de toda la noche en la catedral. Habían ingerido licor en una tasca: La Vara de Plata y cuando el empleado la cerró, se fueron al café Zacodover. Ingiriendo licor habían terminado su plan. Uno de ellos, el líder Mariano, campanero, dejó sobre el suelo su manojo de llaves. Los tres visitantes reían y planeaban algo, mirando de reojo la imagen de la virgen cubierta de oro y pedrerías.

Siguen las palabras descritas por Blasco Ibáñez en la novela:

Transcurrió más de una hora, casi las 12 de la noche, momento en que las campanas de la iglesia habían cortado varias veces la conversación, como si Mariano tuviera que decir algo grave, pero éste vaciló, falto de valor.

Por fin se decidió:

—¿Qué quieres decir? —preguntó Gabriel Luna, con extrañeza.

—Pocas palabras: al grano —dijo Mariano—. Se trata de que seas rico y lo seamos nosotros: queremos salir de esta miseria... Ya has notado hace tiempo que huíamos de ti. Es que eres un sabio, pero no vales un céntimo para cosas de la vida. Contigo se aprende, pero no se sale de la pobreza. Hemos pasado meses pensando en la necesidad de dar un golpe afortunado. Esas revoluciones de que nos hablas están muy lejos. Las verán nuestros nietos y tal vez ni ellos. Bueno, los sabios piensan en el porvenir, pero los brutos como nosotros sólo vemos el presente. Hemos pasado el tiempo discurriendo barbaridades: secuestrar a don Sebastián y exigir un millón de duros de rescate, entrar en palacio una noche y no sé qué más. Todas son majaderías, ideas de tu sobrino. Pero esta mañana en mi casa, lamentándonos de la miseria, hemos visto de pronto la salvación: tú, como único guardián de la catedral; la virgen en el altar mayor, con las joyas que el resto del año se guardan en el tesoro; y yo con las llaves en mi poder. El trabajo más fácil del mundo. Limpiamos a la virgen, emprendemos el camino a Madrid y llegamos al amanecer; el Tato conoce allí mucha gente de la que va a las capeas; nos ocultamos algún tiempo y después tú, que sabes del mundo, nos guiarás. Iremos a América, venderemos las pedrerías y seremos ricos. ¡Alza, Gabriel! Vamos a despojar al ídolo, como dices.

—Luego, ¿es un robo lo que me proponéis? —exclamó Luna, alarmado.

—¿Un robo? —preguntó el campanero—. Llámalo así, si quieres: y ¿qué te asustas de eso? Más nos han robado a nosotros, que nacimos con derecho a un pedacito de mundo y, por más vueltas que damos, no encontramos un sitio libre... Además, ¿a quién perjudicamos con eso? De nada sirve a ese pedazo de palo que es la virgen las joyas que la cubren. Ni come ni siente frío en el invierno, y nosotros somos unos miserables. Tú mismo lo has dicho, Gabriel, contemplando nuestra pobreza. Nuestros hijos mueren de hambre sobre las rodillas de las madres... mientras los ídolos se cubren de riquezas... Anda, Gabriel, no perdamos el tiempo.

—Vamos, tío —dijo el Tato—. Un poco de coraje. Convénzase de que los ignorantes sabemos hilar las cosas cuando llega el caso.

En la novela de Vicente Blasco Ibáñez, la reacción de Gabriel Luna es moral: trata de convencer a sus amigos de que esa idea es una barbaridad.

—Anda, Gabriel —continuaba el campanero—. No perdamos tiempo. Es cosa de un instante y en seguida: ¡a volar!

—No —dijo Gabriel Luna con firmeza, saliendo de su ensimismamiento—. No haréis eso, no debéis hacerlo. Es un robo lo que me proponéis, y mi dolor es grande al ver que para eso contabais conmigo. Otros van al robo por instinto fatal o por corrupción del alma; vosotros llegáis a él porque quise ilustraros, porque intenté abrir vuestra inteligencia a la verdad. ¡Oh! Es horrible, muy horrible...

Los compañeros de Gabriel, sin hacerle caso, se levantan y se dirigen al altar mayor, donde está la virgen, deslumbrante de joyas.

—No —gritó Gabriel, con energía—. Deteneos... Mariano, no sabes lo que haces. ¿Creéis que ya está hecha vuestra dicha al apoderaros de esas riquezas? ¿Y después? Vuestras familias quedan aquí. Tato: piensa en tu madre. Mariano, el zapatero, y tú tenéis mujeres e hijos —ante el empeño de sus amigos, Gabriel intentó usar su último recurso—: No haréis nada. Si pasáis la verja del altar mayor, toco el esquilón y antes de 10 minutos estará todo Toledo en las puertas de la iglesia.

Y —narra Vicente Blasco Ibáñez— el zapaterillo levanta el brazo armado con un manojo de llaves y lo descarga sobre la cabeza de Gabriel Luna, guardián de la catedral.

Las joyas de la catedral desaparecen en manos de los ladrones y el final de la novela tiene un epílogo doloroso y terrible.

Al terminar de leer *La catedral*, me pregunté:

—¿Por qué don Roberto me recomendó su lectura?

Volví a leer el libro. Al finalizar la última página sentí un vahído terrorífico en mi pecho.

Blasco Ibáñez había tratado el tema a *ojo de pájaro* según el estilo de los narradores de la Generación del 98. En la novela pululaba la debilidad del hombre. *La catedral* era como una ciudad manejada por un deán bajo la férula de un arzobispo (Su Eminencia), donde todo tenía un valor sagrado. Lo no sagrado era pecaminoso. Los oficios en esa ciudad de 500 habitantes se heredaban. El corazón del hombre y su fe representaban mercancía barata para los afanes de religiosos sin decoro.

El libro fue escrito con ese odio que ha de prevalecer en el alma de los españoles y que ha de desbordarse en la Guerra Civil, con la consecuente matanza de sacerdotes y monjas, incendio de iglesias y manipulación de tesoros.

Lo que me parecía *terrorífico* es su final. Blasco Ibáñez había descrito el ambiente de la catedral hasta sus ínfimos detalles: desde la luz de los vitrales hasta el olor a moho del sagrario. Las joyas acumuladas en la iglesia por muchas generaciones también se describían con su magia de ambición. Empero, mi terror estaba en otro lado: *punto a punto, coma a coma, tilde a tilde, narraba lo que había sucedido en la Basílica de los Ángeles de Cartago.*

Los periódicos daban cuenta hasta en su último detalle: también *había desaparecido la Virgen de los Ángeles.* Uno de los guardianes de la basílica, el señor Solano, fue asesinado. Y ahora yo estaba metido en el lío.

Todavía no podía entender cómo fui tan débil para dar el visto bueno a don Roberto y aceptar su ofrecimiento de regar las joyas por los barrios bajos de San José. Aunque era inocente de todo lo que sucedió dentro de la basílica, una verdad acrecentaba mi terror: *¡había encubierto a un criminal!* De acuerdo con la ley, debí denunciarlo, pero no lo hice.

Me quedaba otra pregunta: cuando don Roberto me entregó la novela de Blasco Ibáñez, ¿cuál fue su intención? Mañana tenía que verme con él. Mañana se lo preguntaría; pero ese *mañana* nunca llegó.

Cuando llegué a su casa según lo había acordado, su esposa e hijos estaban preocupados. Hacía ya dos días que no sabían de don Roberto. Lo que motivó su ausencia sería una historia trágica en mi vida.

Los periódicos después iban a narrarlo: en la casa de un amigo, doctor en odontología, don Roberto solicitó permiso para usar el laboratorio dental. El doctor Vargas se lo prestó y, al descubrir que estaba fundiendo y martillando pedazos de oro, llamó a la policía.

Don Roberto no había llegado a su casa porque en ese momento ya tenía dos días de estar detenido en la Escuela Militar de Guadalupe.

6. Escuela militar de la tortura

El 9 de junio de 1950, a las tres de la tarde ingresé en la Escuela Militar de Guadalupe. Después de la Revolución de 1948, a los políticos y militares, con el periodista Otilio Ulate a la cabeza, se les ocurrió la necesidad de fundar un ejército en Costa Rica. Al frente del ejército se ubicaba el general triunfante: José Figueres.

Un ejército moderno como el que había conformado el general José Figueres requería de una escuela militar. Por supuesto, no existe una institución de este tipo en el mundo en la que no se estudie una parte fundamental del ser humano: su negación a declarar o a confesar cuando cae prisionero.

La Convención de Ginebra establece la obligación única que debe cumplir un militar ante el enemigo, una vez que es prisionero: decir su nombre y el número de compañía a que pertenece. Las escuelas militares tienen una sección donde se estudian formas diferentes de lograr una confesión amplia sobre todo lo que el prisionero sabe. Esa sección se denomina *tercer grado*.

Una vez terminada la conflagración castrense, ese cubículo de tortura fue usado para el tratamiento de delitos comunes, no militares. El coronel Sidney Ross estaba al frente de la escuela.

Fui capturado a las dos y media de la tarde. Ingresé en las oficinas de Radio City y ahí estaba esperando su gerente, don Antonio Múrulo, quien dijo:

—Estos señores desean hablarle.

Eran dos policías, ambos vestidos con chaqueta de cuero y lentes oscuros. No dijeron una palabra. Simplemente extendieron los grilletes de manos y me esposaron. Luego, en una ambulancia vieja marca Ford fui conducido a la Escuela Militar de Guadalupe. Ahí, encerrado en un cuarto amplio, había una silla, una mesa, una ventana que daba al patio y sobre la mesa un florero con gardenias mustias, al que se adivinaba que hacía días no le cambiaban el agua.

Tomé asiento. Pasaron varias horas. A las seis de la tarde, la bombilla que estaba en el centro del cuarto se encendió. Estaba nervioso. ¿Qué había sucedido?, ¿por qué me habían capturado? En toda la mañana indagué sobre el paradero de don Roberto, sin lograr ninguna noticia.

Claro que mi captura estaba relacionada con la desaparición de don Roberto. Y tenía razón de padecer desasosiego: me sabía culpable de haber encubierto sus actividades. Tenía miedo, el cual se justificaba, pues la fama de la Escuela Militar de Guadalupe era nefasta. Se hablaba de calabozos subterráneos, descargas eléctricas, ahogamiento y hasta los vecinos decían que en altas horas de la noche habían escuchado gritos, súplicas y luego ráfagas de ametralladora.

¿Qué me iba a suceder? Tomé la determinación de hacerme el fuerte y esperar. A las ocho de la noche se abrió la puerta y apareció un policía:

—Tome esta manta para que no pase frío.

La tomé y, acurrucándome sobre el piso de madera, intenté ahuyentar el frío. Un reloj lejano daba las horas. De seguro eran las campanas de la iglesia de Guadalupe.

A las dos de la mañana se abrió la puerta, se encendió la luz y aparecieron dos hombres, que iniciaron el interrogatorio.

—¿Conoce usted a Roberto Figueredo Lora?

Respondí que desde muchos años, que era mi amigo. Siguieron otras preguntas sin importancia: mi vida anterior, cuántos años había vivido en México.

—Llegué a México en mayo de 1945.

Y después la pregunta que estaba esperando:

—Diga usted, ¿dónde pasó la noche del 13 de mayo?

Respondí con meticulosidad: había ido a ver una película en el cine Líbano.

Agregué el tema de la película:

—¿Está usted nervioso? Tiembla.

—Sí, sí, bueno es que...

—La noche del 13 de mayo, después de ir al cine, ¿qué hizo?

—Regresé a mi casa, en el barrio Corazón de Jesús, junto al río Torres.

—Repita con exactitud todo lo que hizo después de salir del cine Líbano.

—Al salir compré dos empanadas de papa con chile y una torta... ésa fue mi cena. Caminé desde el cine hasta el barrio de Corazón de Jesús, pues queda cerca...

—¿Bajó por Barrio México o por el Paso de la Vaca?

—Por el Paso de la Vaca, bajando desde la botica Solera.

—¿Y al día siguiente?

Narré cómo mi prima me había contado las noticias del día, que escuchó en la Voz de la Víctor. Después tomé un autobús en la estación ABC, ubicada en la esquina de la tienda "La Gloria", y fui a Cartago.

Creí que mis respuestas eran bien aceptadas, pues se fueron no sin antes apagar el bombillo, incluso uno de ellos me dijo:

—Buenas noches, que duerma bien.

Los deseos del policía no me calmaron, pues seguía temblando.

Diez minutos después ingresaron tres detectives. Uno de ellos tenía una bufanda roja anudada al cuello.

—Ha estado mintiendo... —dijo.

Pero yo no les había mentido; ésa era, paso a paso, la verdad.

—Usted dio a Roberto Figueredo una bolsa con joyas de la Basílica de los Ángeles; ¿de dónde la sacó?

—No, yo no le di nada a don Roberto —mi negativa enfureció al detective de la bufanda roja, quien se la quitó y la anudó alrededor de mi cuello apretando. Sentía que me asfixiaba.

De todo lo que me dijeron solamente había algo de cierto: don Roberto fue sorprendido con las joyas y manifestó a la policía que las había adquirido de mis manos. Luego —era lógico pensar—, don Roberto les había dicho que mi participación en el crimen de la basílica era verdad.

Al escuchar sus palabras insistentes una y otra vez, me di cuenta de que todo lo que me estaban diciendo a la vez era mentira. Y no podía ser de otra forma, pues mi intervención en el asunto no pasaba de ser la solicitud posterior al delito que me hizo don Roberto.

De ahí en adelante fui sometido a un interrogatorio pertinaz, metódico; pero, con exclusión del acto de simular asfixiarme con la bufanda, no pasaron a más. Tres horas después estaban cansados y yo también. En la mañana me dieron café con leche y dos panes. Uno de los interrogadores ofreció:

—Bueno, aceptemos que no tienes nada que ver con el crimen, pero ahora nos cuentas todo lo que sabes sobre Figueredo.

—Nada.

Durante el resto del día tal fue la tónica de mis respuestas. En todo momento traté de no citar a don Roberto. Lo que había sucedido iba a saberlo después: el 20 de mayo, don Roberto estaba fundiendo oro proveniente del Resplandor de la Virgen de los Ángeles en el laboratorio de un amigo, el doctor Carlos Vargas Arce. Cuando éste lo sorprendió en ese acto, lo denunció al jefe de Resguardo Fiscal, coronel Domingo García.

Al ser capturado, don Roberto se negó a hablar, a no ser que lo hiciera ante el Presidente de la República, don Otilio Ulate. En la Secretaría de la Comandancia en Jefe, Casa Presidencial, don Roberto contó una historia:

Un muchacho, conocido de muchos años, se presentó un día en su casa y le confesó haber participado en el crimen de la basílica. El muchacho le había dado esas joyas como prueba de que era verdad su palabra.

La declaración de don Roberto les pareció espuria. ¿Cómo era posible que un muchacho delincuente estuviera tan ansioso de manifestar ante él que había cometido un delito? El comportamiento lógico de un delincuente era esconderse y no andar por ahí en la calle pregonando que había cometido un crimen.

¿Por qué no lo había denunciado? Don Roberto contó que simuló encubrir a José León Sánchez hasta tanto no le dijera dónde estaba·la Virgen de los Ángeles. Y cuando ésta apareció, ¿por qué no lo delató?

—Porque estaba esperando que me dijera dónde había escondido el resto de las joyas.

La policía no creyó la historia de don Roberto. Don Otilio Ulate, Presidente de Costa Rica, era su amigo desde la niñez y tenía fe en él, quizá demasiada.

En la noche de ese día, para mi sorpresa, ingresó en mi lugar de encierro don Roberto. Encendió la luz y, hablando quedo para que nadie pudiera escuchar, dijo:

—Fui descubierto, José León, fui descubierto. Estoy en un aprieto, José León. Solamente usted puede salvarme. Le ruego que lo haga.

—Pero, don Roberto, yo... no sé, no puedo dar respuesta a todo lo que me han preguntado.

—Por el momento, he contado lo que usted me narró sobre el crimen de la basílica y que me entregó las joyas...

—¿Cómo pudo decir eso?

—Lo dije, lo dije...

Y siempre musitando, se extendió sobre lo que él había declarado. En un momento me sorprendió con la pregunta siguiente:

—¿Terminó de leer el libro *La catedral?*

Le manifesté que sí...

—Repita lo mismo de ese libro, repítalo...

—No lo van a creer, no lo creerán...

—Repítalo, luego hablaré con el Presidente y yo mismo lo sacaré de esto. Tenga fe en mí.

—Pero, don Roberto...

—No levante la voz, hable quedo... nos pueden escuchar.

—No es cierto, no es cierto, usted lo sabe...

—Me salva, me salva... diga que me ha dado un mapa donde están las joyas en Quircot de Cartago...

Y elevando la voz dijo:

—Gracias... escriba aquí...

Sobre la mesa extendió un mapa. Para mi sorpresa, el mapa tenía mi nombre escrito simulando mi propia letra, y don Roberto abandonó el lugar.

¿Qué estaba sucediendo? Don Roberto fue dejado en libertad para que hiciera conexión con otros cómplices del delito de la basílica cuyos nombres —según él— yo le había dado. Y la entrevista conmigo era para que le indicara en un mapa dónde estaba el resto de las joyas. Para ello había ingresado en el lugar de mi encierro.

Luego pasé muchos años insistiendo en que la caligrafía y el nombre en el mapa no eran míos, pero jamás logré que el tribunal nombrara un perito calígrafo.

La visita de don Roberto me había dado una idea clara de la situación: era una situación terrible... pero, contrariamente a lo que prometí a don Roberto, no iba a seguir su juego. Toda la noche la pasé esperando la visita de los detectives, pero no llegaron. Al día siguiente (segundo día de cautiverio) ingresaron el director de la Oficina de Detectives, capitán Jorge Pacheco, y un detective cubano de nombre Jorge Barceló.

Estaba atrapado... pero no quería seguir el juego de don Roberto, así que confesé la verdad. Con detalles hablé de la primera visita a la casa de don Roberto en la Ciudadela Calderón Muñoz y de mi actuación con las joyas. (A esa hora ya los detectives lograron detectar las joyas de la basílica en manos de algunos maleantes, quienes las encontraron en los lugares donde las había dejado.)

Pasé la tarde en soledad. Los detectives en la entrevista estaban serios, pero no violentos. Se tomó nota de mi declaración y la firmé. A las diez de la noche regresaron los detectives citados, con otros dos. Tenían cara de pocos amigos.

—Hemos encontrado parte de las joyas...

El director de detectives manifestó:

—Y eso, gracias al mapa que usted le dio al señor Figueredo.

—No, no es cierto, no le he dado ningún mapa a...

—Este mapa, este... aquí está la línea del ferrocarril en Cartago y usted le dio este mapa a Figueredo...

—¡No, no es cierto, no es cierto...!

El detective Barceló, que vino al país como una colaboración de la policía cubana de Batista para ayudar en la investigación, no hablaba, ni hacía preguntas. Diez años después, este hombre estaría en la lista de detectives batistanos fusilados por el Che Guevara en La Cabaña...

Ante mi negativa, me ataron a una silla y Barceló dijo:

—Ahora nos vas a decir la verdad.

Esperé lo peor... Me golpearían, darían enemas de agua o pondrían cables eléctricos, apretarían los testículos... pero nada de eso hicieron. Con calma, el verdugo Barceló se quitó el fósforo con que se hurgaba los dientes... y me lo introdujo en el oído izquierdo.

Cuando un hombre es sometido a tortura física, llega el momento en que el dolor es tan grande que el cuerpo se defiende y viene el desmayo. Pero la técnica de Barceló era diferente: el palillo de fósforos hurgaba el tímpano y afectaba el nervio; no existe una palabra para describir el dolor que se siente. Parece que le estuvieran metiendo a uno todo un cañón en el oído... pero no se desmaya.

Sacó el palillo de fósforos lleno de sangre y sádicamente lo observó ante la luz.

—¿Te dolió, verdad? —me preguntó.

Hizo una pausa... por un gesto del capitán Jorge Pacheco, advertí que no había aprobado la acción del detective cubano, pero no la impidió:

—Ahora dime, maricón, ¿cómo fue todo el crimen de la basílica?, todo o te reviento el otro oído...

—¿Qué... qué quiere saber? —musité con voz lastimosa.

—Que así como has participado en un crimen de hombres perversos, te portes como hombre y digas toda la verdad... toda...

—Pero... si ya lo he dicho, no sé más... no sé más...

—Las joyas... ¿dónde está el resto de las joyas?, ¿cómo ingresaron en la basílica?, ¿cuántas horas duraron escondidos en el sagrario? Todo, todo...

Temblaba de espanto y dolor. Un hilo caliente de sangre me bajaba del oído... Tenía los ojos aterrorizados...

—Y también te podemos fusilar aquí, maricón...

Se multiplicaba mi desesperación... repetía lo mismo: todo lo que yo sabía... todo... no podía más, no sabía más.

—Te vamos a dejar unos minutos para que medites.

Salieron... me puse a gemir... el dolor en el oído era terrible... Media hora después regresaron. De nuevo me ataron a la silla. Barceló traía entre sus manos un *pato*, instrumento con el que la policía hace el registro sanitario de las putas. Es un aparato que se introduce en la vulva de la mujer y que le abre las piernas para ver si tiene chancros sifilíticos o gonorrea. Lo ubicaron en mi boca y me abrieron la mandíbula dando vuelta a un tornillo. Barceló examinó mi dentadura y dijo:

—Mira, mira, aquí tiene una muela cariada...

Vi cómo entre sus dedos tenía un alfiler y si el dolor del oído fue terrible, lo que me sucedió entonces ya no tenía límites. Hincó el alfiler en el hueco de la muela y comenzó a moverlo, lastimándome el nervio. En ese momento sentí que hasta se me había quitado el dolor del oído.

—¿Y ahora?

Lo miraba a los ojos mientras en sus dedos mantenía el alfiler... El drama que estaba viviendo era inconmensurable, me preguntaban algo que no sabía.

—Si has entregado un mapa, debes saber todo lo demás.

—Por Dios, por Dios, no he entregado ningún mapa, no es cierto; por piedad se los suplico, doncito... tenga piedad de mí...

—¿Piedad, maricón?, ¿acaso tuvieron piedad cuando asesinaron al guardián de la basílica? A ver... dime el nombre de tus cómplices y toda la verdad...

54

De la muela había empezado a salir sangre; repitió la acción. El capitán Jorge Pacheco ahora ayudaba sosteniéndome la cabeza...

—Ya basta, ya basta —recomendó Pacheco, el director de detectives.

—Así es como hablan todos los criminales, así lo hacemos en Cuba.

—Ya basta, ya basta.

Sacaron el *pato* de mi boca.

Me trajeron un vaso de agua. Barceló reía y decía:

—Sí, basta, basta, va a hablar.

Y tenía razón: estaba dispuesto a hablar sobre todo lo que ellos quisieran acusarme o preguntar.

—Bueno, bueno... voy a confesar.

Ingresó un policía con una máquina de escribir y un rimero de papel tamaño oficio. El secretario volvió a verme.

Una idea se me vino a la mente y les dije:

—Déjenme solo... he de confesar todo... pero dejen que me pase el dolor... déjenme, por favor.

Trajeron más sillas.

—Escribiré mi declaración... denme un lápiz.

Me lo dieron y me senté en la silla junto a la mesa. ¿Qué hacer? Así duré pensando como cinco minutos... con el lápiz en la mano y la hoja de papel en blanco. No tenía alternativa. *Ellos no creían en mis palabras*, sino que tenían la plena seguridad de que el mapa entregado por don Roberto se lo había dado yo. Para ellos, era el miembro más joven de una banda de criminales. Tenía que *confesar o confesar*, pues no había un término medio.

En mi mente estaba todo lo que con avidez había leído en los periódicos. Tenía hasta el plano publicado por uno de ellos sobre la parte interior de la iglesia. Sabía, como todos los lectores, el movimiento de los ladrones dentro del templo.

En la iglesia hubo varios guardianes. Uno de ellos, el señor Solano, tocó las campanas a las ocho de la noche: habían saqueado las urnas llenas de exvotos. Los ladrones se escondieron en el sagrario y después abrieron una puerta para que ingresaran otros. Todo eso lo tenía muy claro.

En ese momento se me ocurrió otra idea salvadora: de seguro ninguno de los presentes había leído el libro de Vicente Blasco Ibáñez sobre un crimen en la catedral de Toledo. Entonces tomé el lápiz con fuerza (en aquel tiempo no existían los lapiceros) *y comencé a escribir las secuencias de un crimen, siguiendo punto por punto lo leído en la novela* La catedral *y ubicando los detalles que leí en los periódicos.*

Creo haber escrito unas veinte páginas. En el Hospicio de Huérfanos había tenido un compañero al que apodaban Frankenstein por feo. Dije que ese personaje me había acompañado y que fue a matar al guardián de la basílica. No di su verdadero nombre por no saberlo, pero también inventé otros nombres. Creo haber durado como dos horas narrando "mi confesión". *Muchos años después, los tribunales iban a declarar que esta confesión fue toda novelesca y mentirosa.*

En ese momento me salvó. Iba escribiendo con letra de imprenta cada página, que era tomada al momento por el director de detectives, quien la pasaba rápidamente al cubano Barceló.

Miraba de reojo cómo manifestaban satisfacción por lo que leían.

—Buena, muy buena confesión... y de puño y letra.

—Muy buena, muy buena —asintió Barceló—. Ahora fírmala.

La firmé. Firmé una confesión sobre un delito que no había cometido, que jamás podía haber cometido. En el centro de tortura de la Escuela Militar de Guadalupe pasé una noche de horror, la noche más terrible que hasta entonces un joven que empezaba a vivir había experimentado. Y así me convertí en el hombre más odiado de Costa Rica, en el Monstruo de la Basílica.

7. El regalo

En las oficinas de la penitenciaría, todos los ojos estaban firmemente clavados en mi persona como espinas. Ya para ese momento poseía la conciencia de que cada hijo de la patria creía tener una deuda que cobrarme, de modo que no encontraba valor para levantar la frente y confundía mis ojos con los negros ladrillos del suelo. Un frío de muerte rodeaba el edificio. Las paredes sucio-amarillo parecían manos con garfios que se extendían para darme un abrazo largo, del cual me costó años deshacerme.

Un pasadizo partía en dos el edificio y se internaba lleno de sombras, de negro, de hielo y de gritos. Primero fueron aullidos que, al entrar, subieron de tono. Unas voces sobresalían entre ellos:

—¡Aquí, aquí, metan aquí a ese monstruo para hacerlo papilla!

—¡Sí, sí, a ese monstruo aquí!

Era la voz de la criminalidad nacional, en cuyo núcleo había hombres que cometieron crímenes cien veces más terribles del que se me acusaba, pero con ellos no se había ensañado la prensa hasta el extremo de publicar una famosa declaración de los abogados nacionales en la cual decían que aceptaban cualquier multa antes que hacerse cargo de mi defensa. Ahora, esos presidiarios me consideraban dos veces despreciable: una por llevar el delito hasta la fe del pueblo y la otra por haber confesado. Desde las rejas salían manos sucias, flacas, extendidas como garabatos que intentaban asirme y jalarme hacia allá adentro.

El primer comandante se reunió en consulta con los encargados de los pabellones y, en tanto se llegaba a una resolución, se me sometía al primer interrogatorio para llenar la ficha criminológica. Hacían las preguntas unos hombres con caras muy amargas, por cuyos labios se deslizaba el odio y el desprecio humano. Con el tiempo me enteré que los carceleros siempre se hacen al ambiente penitenciario y adquieren como vicio el vocabulario de las palabras sin nombre y las miradas de infamia. Llené el formulario que luego ellos interpretarían a su manera. Unas preguntas eran tan íntimas como la clase de relaciones que habían tenido mis padres y el número de familiares hospitalizados por locura, sífilis u otras enfermedades. Se extrañaron mucho cuando les dije que no tenía padre, ni madre ni hermanos y que me había convertido en niño en una casa grande y buena, donde era obligatorio rezar en la mañana, al mediodía y por la noche.

Luego me desnudaron, me hicieron inclinar, tomaron un palo para hurgarme el recto y lo introdujeron porque de seguro pensaban que ahí podría portar alguna de las cosas prohibidas en un penal: alambre, una prensa de pelo, una llave, un lapicero, etc. Todo lleno de vergüenza me levanté de nuevo los pantalones siempre mirando a los ladrillos, y en mi alrededor se multiplicaban las burlas.

Muchas de las preguntas las respondí automáticamente. Para entonces ya había cumplido varios días en la triste y famosa Policía Militar de Guadalupe, donde unos señores pertenecientes al mundo de los detectives lograron de mí cuantas respuestas quisieron, muchas verídicas y otras producto del dolor. Uno dice cosas raras cuando, por ejemplo, con la punta de un palillo de fósforos nos están punzando durante ratos adentro de los oídos o con un alfiler en el hoyo de una muela cariada. Es un dolor horrible que no quisiera que nadie sintiera.

Después me lavaban los hilillos de sangre con alcohol, para que el juez instructor no se enterara de las múltiples torturas que me aplicaban o, en caso que las denunciara, no se encontrara la evidencia de una mancha de sangre. Sí, es el motivo por el que de este oído jamás he vuelto a escuchar normalmente. Por ello también, a lo largo de los años he despertado bajo horribles pesadillas lanzando gritos de desesperación y espanto, envuelto en sudor, para caer después en una tranquilidad muy grande al saber que todo fue un sueño y que aquellos tiempos terribles de penitenciaría ya se fueron para siempre.

No fue posible internarme con el resto de los reos que había en la penitenciaría, porque una delegación de ellos se hizo presente ante el señor comandante para advertir que de "poner a ese monstruo" a convivir con ellos, iban a descuartizarme. El comandante entendió que la amenaza no era en vano.

Escuchaba todo aquello con un raro asombro. Me sentía como una rata en la esquina y frente a una pared donde no hay salida; pero, así y todo, poseía un aire de resignación. Ése fue el motivo por el cual me condujeron al calabozo número 1, o celda subterránea ubicada en el lado norte de la penitenciaría, donde me iba a tocar vivir muchos años.

Todo mi haber era un saco sucio de lana, manchado por la sangre que esa misma tarde empezó a manar desde mi oído horadado. La hemorragia duró toda esa primera noche y parte del día siguiente; me quejé, pero el guardián que velaba junto a la puerta no se molestó siquiera en averiguar la índole de mi sufrimiento. Luego me enteré que son tantas las veces en las cuales el reo simula enfermedades y dolores terribles en una forma tan patética, que un artista de teatro ni siquiera soñaría con imitar; por ello los guardianes no hacen caso de tales gemidos o no se preocupan por saber si son ciertos o no. Sensibilidad humana es lo primero que el carcelero debe dejar puertas afuera para servir útilmente a la sociedad entre los muros. Es la casa del dolor, del engaño y del crimen, y ahí la piedad o la sensibilidad no han llegado nunca.

No tenía cobija, faja o pañuelo. Además, la Costa Rica de entonces, compuesta por quinientos mil habitantes, no ofrecía para mí ni la mitad de una mano amiga que se preocupara por llevarme una cobija, un pan, una palabra buena o una mirada de aliento. Mi corazón era como el centro en una isla de odio.

El suelo del calabozo estaba húmedo de orines, con un olor a excremento impregnado en las paredes. Después supe que tal era la celda destinada para los reos más intratables que existían en el penal y a quienes solamente se les sacaba de ahí para que tomaran una hora de sol. Pasé muchos meses sin disfrutar del sol hasta la tarde aquella en que llegó el padre Carlos Humberto Rodríguez, me regaló unos cigarros y se marchó llorando, al decirle que no creía en Dios y que se fuera al diablo.

Cuando algunas horas después mis ojos se acostumbraron a aquellas penumbras, observé el lugar: las paredes estaban pintadas de un blanco ceniza; había muchos nombres que insultaban a los jueces, a la sociedad y a Dios; un gran falo cruzaba de un lugar a otro en la pared, y se veían nombres con fechas, la mayoría de ellos pertenecientes a mujeres.

Como un río que sonaba a lo lejos, me llegaba el grito de los penales, el cual es un gritar sarmentoso que lo infesta todo. Una puerta de hierro tan pesada como el odio que la inspiró rechinaba al abrirse o cerrarse como cuando se quiebran botellas contra una piedra. Al guardián le costaba mucho trabajo abrirla o cerrarla, de seguro por falta de grasa, aunque pensé que el lúgubre sonido de la puerta era parte integral de la tortura mental que tenía la celda. En el centro de la puerta existía un hoyo circular del tamaño de una moneda de un peso y un portoncito pequeño de diez centímetros de ancho por veinte de largo, a la altura de los ojos, donde podían caber un plato y un jarro. Este portoncito era el único que se abría tres veces diarias para que pasaran los alimentos.

El hedor que ascendía desde el suelo era tan fuerte y había impregnado tanto las paredes que cuando uno colocaba las manos en ellas, quedaba una baba con olor pestífero.

Sobre mi cabeza existía un piso alto, ubicado sobre el subterráneo: era la sección dedicada a los reos llamados de máxima peligrosidad, doce en total. Estaba ahí un muchacho de porte elegante y mirada simpática, quien destrozó la cabeza de un carbonero para robarle medio millón de pesos, pero resulta que el pobre era un trabajador que solamente tenía fama de tacaño. Diez pesos por todo fue el botín. También había tres hombres de entre 25 a 40 años, quienes formaban parte de una cuadrilla de asaltantes que ultimaron a tiros de ametralladora a una pareja de ancianos. Estaba uno que dio muerte a su padre y otro que después de violar a una niña la había estrangulado. El jefe de todos ellos era un mal encarado, apodado Veinte Años.

Es curioso: de los habitantes de aquel salón de miedo y de horribles recuerdos, el único que está con vida soy yo. En intentos de fuga o por peleas entre ellos, se fueron terminando. El último en morir tomó parte en un escape suicida de la penitenciaría y quedó frente al jardín con más de veinte tiros en la cabeza.

Tres veces al día abrían la pequeña puerta a la que he aludido. No tenía jarro, ni plato, y para que me dieran la comida sacaba las manos haciendo con ellas un cuenco. Asomaba las dos juntas como cuando aprendí a rezar; así me echaban un poco de aguadulce. Si la misma venía muy caliente, entonces no me la daban. Después volvía de nuevo a sacar las manos y en ellas me echaban el poco de arroz y frijoles que era mi ración, casi siempre arroz en pelota y frijoles agrios y duros.

Aprovechaba la oportunidad para solicitar un cigarrillo y algunos guardias no me decían nada; respetaban la consigna del silencio para los reos incomunicados. Alguna vez me lo regalaban encendido, pero un día alguno gritó:

—¿Por qué no pensaste en el vicio antes de ejecutar tu asqueroso crimen?

No, ellos jamás iban a entender que no había sido culpable por la muerte de un ser humano. Y como algunas semanas, e incluso meses después, decía que era inocente, a mi apodo de Monstruo de la Basílica los periodistas agregaron El Cínico de la Celda Número 1.

Una vez cada dos días visitaba la celda un hombre joven, al que llamaban teniente Aztúa. Siempre me saludaba con palabras como éstas:

—¿Qué tal amaneció el señor monstruo?, ¿ha dormido muy bien el Rey de los Infiernos?, ¿quiere algo su majestad? ¡Ja, ja, ja!

Y los primeros días agregaba a lo anterior unas patadas hasta que en una semana tenía el cuerpo lleno de moretones. Seguramente alguien le llamó la atención porque pronto dejó de hacerlo. Pero no perdía un instante para atormentarme y, una vez que le insinué que me diera permiso para bañarme, dijo:

—En esa esquina... ¡báñate en ella!

O al contrario:

—Deploro mucho, don José, no poder complacerlo ahora porque el baño tiene descompuesta la tubería que da el agua caliente —y terminaba con una carcajada mientras proyectaba la luz de una linterna contra mis ojos.

Y no podía taparme los ojos con las manos, so pena de llevarme una golpiza; pero como a los tres meses inventó un nuevo sistema para torturarme: el comandante autorizó un permiso para que se me brindara un baño todos los días, y el teniente Aztúa llegaba con matemática precisión a las dos de la mañana y me obligaba a tomar un baño a esa hora en que el agua era como hielo. Creo que de ello me provino la debilidad del pulmón, que años después casi me lleva a la tumba.

Luego me enteré de que el teniente Aztúa era un hombre muy religioso. Recibía el Pan del Espíritu Santo todos los días y después de la comunión pasaba una hora en oración. Formaba parte de la Santa Hermandad Católica de los Barrios del Sur y era, además de tesorero de la Congregación Mariana, el hombre que los domingos recogía la limosna en la iglesia. No lo entiendo. Hoy quiero suponer que no era malo, pienso que era un pobre enfermo de sadismo y que de todo corazón pensaba que el sufrimiento que me aplicaba debía dar como fruto *mi salvación*.

En los largos meses de encierro, por ningún motivo se me permitió salir de la celda, a no ser la visita al baño a las dos de la mañana.

Adivinaba el día debido a la luz tenue que entraba por la rendija inferior de la puerta, y las horas nocturnas las definía por el atormentador sonido del riel que chirriaba y chirriaba como una campana del infierno. Es el mismo sonido que pregona al aire por las esquinas de toda la ciudad el canto doloroso de una cárcel. Aunque los guardianes, al entrar a hacer un registro en la celda debían taparse la nariz con un pañuelo, les parecía muy bueno que yo tuviera que hacer todas mis necesidades fisiológicas en la esquina.

Un día por semana, dos reos que habitaban en el piso de arriba, con una lata de agua y una escoba, barrían y lavaban la celda. Pero llegué hasta desear que no lo hicieran, porque ellos, muertos de risa, tiraban la última lata de agua sobre mi cuerpo. Como el suelo no tenía desnivel, entonces el agua se empozaba por todos lados y no encontraba lugar cómodo para dormir.

Una vez cerrada la puerta, sin esbozar un insulto ni una queja, mordiéndome los labios, me quitaba la ropa y la retorcía o luego, inclinándome de rodillas sobre los ladrillos, empezaba con las manos a recoger el agua y empujarla poco a poco debajo de la rendija que tenía la puerta, hasta estar seguro de que no quedaba más en todo el ladrillo.

Cuando aquella esquina estaba seca, solía ponerme el saco sobre el pecho y, metiendo las manos y la cabeza dentro de la camisa, intentaba despistar el frío que me despertaba muchas veces durante la noche. Pero cuando era "el día del aseo", no podía dormir; sentado entonces en medio de aquella oscuridad, maldecía a la vida, a Dios y a todo lo creado.

Tenía un corazón de piedra y no lloraba. Me había propuesto que ni por la imaginación, ellos, mis verdugos, se enteraran de que yo era algo así como la mierda que poco a poco iba llenando la esquina opuesta hasta llegar el día del aseo.

Pasaba hambre y en el primer mes enflaquecí. En un año, mi peso, que al entrar en la cárcel era de 70 kilos, descendió hasta

40. Nunca he tenido un cuerpo grueso, pero ahí me convertí en una especie de pellejo hasta que el mismo saco, ya convertido en un harapo mugroso, me colgaba sobre los hombros como si hubiese pertenecido a otra persona.

Había un guardián a quien llamaban Chita: era uno, después del teniente Aztúa, de los que más me odiaban. Recuerdo que cuando yo sacaba las dos manos para que en ellas me echaran la comida, gritaba:

—¡Una, solamente una mano! —y uniendo a la palabra su odio me daba duro con el garrote. Y como tardara un momento sobándome la mano, gritaba:

—¿Vas a sacar la mano, asesino, o no?

Entonces sacaba una mano y después la otra para recibir el cucharón de arroz con frijoles... Luego empezaba a comer los granos, uno a uno, para que me duraran más tiempo.

Otro prisionero se llamaba Eduardo, pero le decían Veinte Años. Era el jefe indiscutible de los reos en el piso superior y fue después el líder del hampa durante años, hasta que le llegó el turno en una mesa de juego dentro del mismo penal cuando lo tomó uno de sus amigos y, después de hacerle saltar los ojos con un hierro, le propinó una gran cantidad de puñaladas.

Su vida, su imperio y su muerte pertenecieron a una época tormentosa de la penitenciaría. Ese reo fue la persona que me hizo el primero y único regalo en muchos meses de calabozo. Con una voz que me sonó igual a la que deben tener los ángeles, dijo al teniente Aztúa desde fuera de la puerta:

—Nos da mucha lástima la situación de José. ¿Verdad que sí, compañeros?

—Sí, sí, nos da mucha lástima —respondió un coro de voces indistinguibles para mí. Pero al mismo tiempo saltó una risa extraña de sus labios.

—Queremos prestarle este tarrito para que reciba el aguadulce y el rancho.

—Bueno —asintió el teniente Aztúa con una bondad asaz curiosa—, con la condición de que luego vuelvan a sacarlo.

—De acuerdo, mi teniente —respondió Veinte Años—; yo traeré el tarro en las horas de comida para que él lo use y volveré a llevármelo.

—Desde mañana podrá recibir la comida en el tarro.

Fue mi grande y primera alegría. Aunque dos o tres veces me habían dado el rancho en un periódico, tener un tarro era el colmo de la suerte.

Todas las mañanas me quitaba la ropa haraposa y con los dientes machacaba fieramente las costuras para matar los piojos; ahora, si me dejaban el tarro, hasta podría machacarlas con él. No, no sería pronto, pero quizá más adelante, con buen comportamiento, era posible que me lo dejaran aquí y entonces... Además, en el tarro cabía aguadulce en mayor cantidad que en el cuenco de mis manos, y puede que hasta algún guardián bueno un día me lo llenara hasta el borde. ¡Qué dicha! Sí, de verdad que era mi primera gran alegría.

Hasta la hediondez y la oscuridad se me hicieron diferentes. Al fin algo empezaba a cambiar y me dije a mí mismo: no todos los reos eran como los que pedían a gritos que me echaran entre ellos para descuartizarme. No, había reos buenos a quienes de seguro el dolor de la cárcel les había puesto un poco suave el alma. Eso de decir al fierísimo teniente Aztúa que mi condición les inspiraba lástima era buena señal. Desde entonces, hasta que *sucedió lo otro*, miraba con ojos de gran afecto y agradecimiento al compañero Veinte Años cuando se acercaba hasta la puerta en cada hora de la comida para dejarme el tarro. Ciertamente, me extrañaban mucho las risas que escuchaba, pero de seguro se reían del guardián. ¡Sí, sí, se reían del guardián!

La primera mañana llegó el custodio con el café y ahí se acercó mi amigo con su tarro. Fue la primera vez que sorbí el café, pues antes no podía hacerlo porque era muy caliente y me quemaba las manos. Había un vigilante, uno solo, que me servía aguadulce y después esperaba pacientemente a que terminara y sacara el tarro para poner el rancho dentro de él. Pero también venía el llamado Chita, tan impaciente que me regañaba si tardaba en devolverle el tarro y a quien odiaba porque me hacía aspirar el aguadulce, luego sacaba prontamente el tarro y en seguida me echaba ahí la comida, de tal modo que yo debía correr a vaciarla en una esquina sobre un cartón viejo, y así después tenía que echarme boca abajo y recoger poco a poco la comida como lo hacen los perros.

Se cumplió como un mes y medio de tener permiso para recibir el alimento en el recipiente, cuando una tarde entró el teniente Aztúa con el tarro en la mano y me dijo:

—Desde este momento puedes dejar el tarro contigo, pero quiero decirte que...

Y me dijo pausadamente lo que sucedía y el porqué de las risas: el que yo pensaba que era "tan bueno", Eduardo, alias Veinte Años, hacía sus necesidades nocturnas en ese recipiente. En la mañana lo lavaba muy bien y después corría escaleras abajo para que yo lo usara en el café, y así lo hacía todos los días.

—Es para que te enteres de que ni siquiera los más negros criminales de este presidio te quieren...

Y dejó las últimas palabras suspendidas, tirando la lata en una esquina y cerrando la puerta con dureza. La lanzó para que cayera en un lugar determinado de antemano... y ahí cayó. Estaba en la esquina de las necesidades, no la veía, pero lo adivinaba. Era un tarro común y corriente de leche condensada con cabida para cuatrocientos gramos.

Conforme se iban despidiendo las sombras (lo cual sucedía siempre que abrían la puerta, entonces debía permanecer hasta una hora sin ver nada mientras la retina se acostumbraba a la oscuridad y podía distinguir los objetos), así también fui distinguiendo el tarro.

Aquí, pecho adentro, una hormiga rara caminaba. La humedad de la celda se hizo más áspera; entonces empecé a sudar y los pedazos sucios de la camisa se pegaron a mi piel. El utensilio me inspiró, de momento, un asco terrible. Imaginé las cosas que "mis compañeros" habían hecho con el "obsequio" que tan humanamente significó para mí algo así como un hermoso regalo. No quería ni tocarlo..., se hallaba "ahora" en el lugar más apropiado donde debía estar...

Pensé en el día siguiente. De nuevo tendría que sacar las manos para recibir el agua tibia. Nuevamente el aguadulce iba a regarse como siempre, porque el hoyo estaba a la altura de mis ojos, y era imposible que no se regara cuando regresaba las manos convertidas en cuenco. De nuevo, alguna que otra vez, se permitía que sacara solamente una mano.

Fue hasta entonces cuando de repente adquirí conciencia de mi intensa bajeza. Comprendí, como el despertar de un sueño, lo horrible de mi situación que, con más o menos variadas circunstancias, duraría primero cinco años de calabozo y después más años en los veinte que he tenido por delante entre las rejas.

Hasta mis ojos cerrados brincó un instante, solamente un instante, el recuerdo de la vida bonita que dejé allá afuera. En mi pueblo, en ese instante, sería por la tarde. Un rosario de chiquillos saldría disparado para cruzar la plaza verde por todos lados.

Las begonias en la casa de allá al frente estarían llenas de flores. Un olor a violeta se recoge siempre en las tardes al caer sobre la vecindad y el morado de las guarias semejaría pájaros, en la tarde que va muriendo, como hechos de fuego y de rosa para cantar la última canción del día.

Pensé en los tiempos de cuando era niño. Imaginé, al igual que cuando dos manos en caricia pasan por nuestros ojos, todo lo lleno de sentido y de bondad que era el mundo que, ya para toda la vida, había perdido.

¡Tenía las manos limpias como una piedra en la corriente del río... pero no me creían!

No sé cuántas horas pasaron. La voz del guardián sonó al otro lado de la puerta y le siguió el murmullo de las llaves:

—¡El tarro, el tarro, ha llegado la comida!

¡Habían pasado todas las horas de la tarde y ni siquiera lo noté...! El tarro... el tarro que estaba "ahí" lo pedían.

Pensé un instante, un pequeño instante en poner las manos de nuevo como antes, muy juntas, como el rezar de un niño, aunque me quemaran con el café caliente, pero... Era verdad que ya no tenía nada que perder, y el asco era un lujo que un hombre en su condición de fiera no podía darse, porque yo tenía un corazón como lo que estaba en la... esquina de allá.

Limpiándolo un poco, lo saqué y me echaron la comida. Luego que el guardián se hubo marchado con la olla y el que estaba de guardia de nuevo cerraba la puertecilla, metiendo la mano dentro del tarro, empecé a comer. Al terminar apreté el regalo que mis compañeros me hicieron, duro, entre mis manos y por primera vez, desde hacía muchos meses, sentí que un poco de sal bajaba a mis labios y calladamente empecé a llorar...

8. El juicio

—Basílico... tú y yo no tenemos otro camino...

—Luchamos por nuestra libertad, amigo Barrera, y esto nos puede ser fatal. No tengo sentencia, espero salir libre, pero con un asunto así, si nos descubren, no saldré nunca de la penitenciaría...

—Sé honesto... nunca saldrás de esta penitenciaría... terminarás en San Lucas y allá en el cementerio serás engullido por los cangrejos; así es, así fue siempre, así ha de ser. Estamos atrapados y no tenemos salida.

—¿Y si en la suerte me toca matarlo?

—¿Y si no te toca, Basílico, si no te toca...? Puede bien tocarme a mí.

—¿Lo matarías?

—Él sabía que nos iban a matar a todos...

Al escuchar a Claudio Barrera hablar así, entonces entendí lo lejos que estábamos de la realidad social. San José de Costa Rica, la civilización, las leyes, todo estaba allá afuera; pero aquí también había una ley.

—No será la primera vez.

—Cierto —asentí casi en un murmullo—, ni la última.

El poeta Claudio Barrera era valiente. También estaba sin sentencia, pero de seguro al recibirla jamás iba a ser una pena como la que me iría a tocar si no se me hacía justicia. Por otro lado: *¡qué solo, qué tieso y qué frío se nos había convertido el corazón!*

Ya lo había leído en Cuello Calón y lo estudié en Sebastián Soler, grandes tratadistas del derecho penal que llegaron en la caja de libros que desde la Universidad de Buenos Aires me había hecho llegar doña Evita Perón. Y también lo había leído en los libros de Jiménez de Asúa: "El hombre era así y jamás debía llegar a un penal, no importa el delito que hubiese cometido. Y existían hombres que, aunque no hayan cometido un crimen, no deben salir de una cárcel". ¡Eso era difícil de entender!

Claudio Barrera, mi compañero, provenía de Honduras, y por ahí entre sus petates andaba el original de un libro. A veces, a la luz de una candela declamaba un poema que él amaba, a pesar de que en Costa Rica la vida lo había tratado mal:

La carreta
es una acuarela llenita de flores,
redonda como una luna de colores.
Y se ve cuando gira su rueda vistosa,
como el ala loca de una mariposa.
La cruz, el valle, la fuente, la ermita
tienen corazón, casi adivina,
y es la carreta que va por la esquina
junto al camino que sigue formando eses...

En el patio del pabellón oeste lo había escrito con un tizón sobre el ladrillo rojo. ¡Ah y quién diría que un día (cuando los rumbos cambiaran) sería el poema más hermoso escrito sobre la carreta del campesino costarricense!

A él también se le ocurrió la idea. En la Universidad de Tegucigalpa había estudiado geología.

—¿Geología?

—Siempre me ha llamado la atención la historia del oro y entonces quería ser buscador de oro.

En verdad había terminado como minero en la mina El Limón, de Nicaragua, donde contaba que se da el séptimo oro más limpio del mundo.

Éramos seis en la hora del sol y él nos dijo:

—Los muros son viejos y ya pasó medio siglo desde la construcción de estas paredes.

Y nos dio otra explicación: hasta las piedras terminan barridas por los vientos en el desierto cuando pierden el agua, que es lo que las mantiene. Y agregó:

—Hay que ver lo fácil que los *alepates* y las cucarachas han hecho galerías en la juntura de los ladrillos.

Y la idea fue así: los reos Caca de Mono, Tigrilla, Miraflor, Pico de Oro y Juanilama, quienes trabajaban en el aseo del pabellón, enviaron una carta al comandante Romero solicitando permiso para hacer un fogón, cerca de los baños donde el preso tiene que defecar de pie. El muro tiene casi medio metro, de manera que el asunto es horadarlo esta distancia y entonces hurgar la tierra hasta el fondo y lograr la cloaca, que ha de llevarnos hasta la caballeriza de la artillería ubicada en el río Torres y... ¡adiós comandante Romero...!

La carta fue redactada por el Catracho (Barrera) y pedía al comandante que durante el día nos permitiera hacer un fogón en una esquina del patio, para que los reos pudieran cocinar algún alimento crudo enviado por sus familias. En ese caso se terminaría con la violación de las reglas de los reos que hacían café y cocinaban en candiles dentro de la misma celda.

En tres meses, Catracho se dedicó a cuidar el fogón: él atendía el fuego de carbón junto a la pared que ardía varias horas hasta que quedó manchada de hollín, toda negra.

Con una aguja, cada semana Catracho sacaba de la pared pedacitos de la argamasa que unía piedras y ladrillos y los disolvía en unas pocas gotas de agua en un tarro. Tres meses después dijo:

—La pared está tostada, ya es fácil disolver la argamasa.

Las herramientas fueron clavos de cuatro pulgadas que Sonia, la esposa de Palacios, había metido de contrabando. Ocultar las evidencias del trabajo realizado cada noche era fácil: la arenisca se lanzaba al mismo excusado y en cada momento había lista una plantilla hecha con papel maché y migas de pan teñidas de hollín para tapar el hueco.

71

No recuerdo cuándo había ingresado Juanillo en el grupo. Estaba preso por fabricar licor de contrabando, o sea, un infractor del Código Fiscal, no un criminal; empero, desde el primer momento le fue imposible pagar la multa de 1 700 pesos que se le impuso, por lo cual debía purgar dos años de prisión. Tenía una esposa muy linda y un niño. En las horas de visita ambos se abrazaban y solían llorar. Él vendría con nosotros en la fuga.

La paciencia con que se trabajó el hueco en la pared y después los dos metros en dirección hacia abajo hasta llegar a la cloaca eran parte de la vida en prisión. No hay nada por hacer, el tiempo alcanza para todo. Ya conté que algunos reclusos pulsan el candado de su celda tantas veces arriba y abajo que es como adelantar cerrarlo y abrirlo durante varios años hasta que el pin se descompone y se puede abrir con la mano. Para ello, el reo quizá deba pulsarlo centenas de miles de veces.

Asimismo, existen otros ingenios. Recuerdo cuando desaparecieron las aldabas y los candados de puño tan grandes como medio plato, porque en Nueva York una fábrica inventó el candado *Yale*, el cual era imposible de abrir con ganzúa y la sierra no lo corta, ni la *pata de cancho* le hace nada... Desde entonces y dado el gran éxito en la penitenciaría de Sing Sing en Nueva York, aquél se hizo famoso en todo el mundo... hasta que apareció en nuestra penitenciaría un mecánico, Miguelón, quien estaba ahí por matar a su mujer.

Tomó el candado, cerró las junturas con cerumen extraído de los oídos de cuatro presos, metió en él la pólvora de cuatro cabezas de fósforos, después las oprimió con una aguja y luego rellenó con un pedazo de hilo el lugar por donde ingresa la llave. Cerró con cerumen la parte del ingreso... y le prendió fuego al pedacito de hilo que sobresalió. Estalló con un sonido sordo que ni siquiera el guardián de la reja logró escuchar. Así terminó el imperio del candado *Yale* en los presidios del mundo.

La idea de escape era sencilla en su aplicación.

La forma de tapar el hoyo era como un cartón, cuya fabricación ya expliqué. El hoyo, dos metros abajo, que llegó hasta la cloaca fue quebrado de manera que aquélla sonaba, al transcurrir su contenido en un curso de doscientos metros hasta el río Torres. Sin embargo, no podíamos ir todos juntos. El primero sería Caca de Mono, quien llevaría una cajita de fósforos y encendería uno al otro lado del río Torres para indicar que había llegado libre. Todo eso debía hacerse en minutos, y durante este tiempo uno de nosotros saldría a los baños y desde ahí a la cloaca. Pata de Zoncho, un viejo beodo consuetudinario que estaba enfermo, nos ayudaría a poner la tapa al hueco una vez salido el último.

No obstante, fue el momento del desaliento: pasó una hora y allá al otro lado del río no se vislumbró nada. Dos horas después se escuchó cerca del río una ráfaga de ametralladora, y no fue costoso entender: el coronel Romero sabía de la fuga y como los segundos, terceros, cuartos y quintos no llegamos, se conformó con asesinar a Caca de Mono.

Jorge León narró que Juanillo había llegado tres veces a la oficina del comandante Romero para solicitarle una audiencia; además, fue el que menos se impresionó por la muerte de Caca de Mono. Al contrario, se mostraba alegre, pues decía que a él se le estaba tramitando un indulto. Al principio no podíamos creerlo, pero su señora le contó a una compañera de visita que su marido iba a salir libre por hacer un favor al comandante Romero. Y ya toda la verdad fue como de día.

En la celda número cuarenta de Barrera se hizo el jurado. En la cárcel solamente existe una pena: *la muerte*. La traición se paga con la muerte.

En un viejo tarro pusimos los votos en forma de cigarrillo. Aparecieron dos votos en blanco. Sabía que el otro era del Catracho; *tenía que ser el suyo*. Pero ahora las cosas se nos habían complicado. Debía haber otra reunión con el mismo número de cigarrillos, pero uno tenía una mancha roja con sangre. Con los ojos cerrados meteríamos el dedo en el tarro y cada uno por turno sacaría un cigarrillo.

A eso se debía la plática con Claudio Barrera al inicio. El penal es un mundo diferente; el habla, las horas y la vida son diferentes.

El asunto es que, aunque el voto del Catracho y el mío fueron en blanco... entonces, en este momento, el que sacara del tarro el cigarrillo marcado de rojo tenía que ser el verdugo. El ejecutor escogería la forma de matar al traidor.

La noche anterior casi no dormí. Muchas horas pasé pensando en qué ocurriría si sacaba el cigarrillo marcado de rojo... Como decía el poeta Claudio Barrera, teníamos que ejecutar el papel que el destino nos iba a deparar, y llegó el momento. Ya había encontrado en la hora del sol una cuecha de breva, la cual introduje en mi boca y comencé a mascarla.

—Cigarrillo en blanco...

—Cigarrillo en blanco...

—Cigarrillo en rojo...

Cara de Tigre había sacado el cigarrillo marcado de rojo. El Catracho y yo volvimos a vernos con un gesto indescriptible.

9. La lobotomía

La idea era atroz. El diario *La Nación* no lo juzgaba así, había presentado el asunto como: *uno de los grandes logros en que la psicología, psiquiatría y neurocirugía se daban la mano en pro de una respuesta para la sociedad. El criminal al estilo de la sugerencia de César Lombroso pasaría a la historia.*

En su origen, la idea fue realizar operaciones como las llevadas a cabo en 1890 por un eminente cirujano suizo de nombre Gottlieb Burchart. Él había inventado la técnica de una cirugía para destruir ciertos tejidos en el cerebro. Burchart extirpaba porciones cerebrales de esquizofrénicos agitados por alucinaciones, quienes después quedaban *más tranquilos.*

Lo curioso de esta historia es que nunca imaginé que lo iniciado como una solicitud desesperada casi terminara en un precipicio tenebroso y en verdad atroz. Sucedió que al mote de Monstruo que me daban los periódicos se agregó el adjetivo de Cínico. Desde el momento en que me fue dable expresar una verdad fuera de los muros de la Escuela Militar de Guadalupe y pregoné mi inocencia en el crimen de la basílica, en ese mismo instante los medios de comunicación, cuando me citaban, decían: el *Cínico*, porque me negaba a repetir mi primera declaración lograda a base de tortura.

Un día me dije: "Si hasta el juez procede así y me ha condenado con antelación, ¿por qué no solicitar un informe científico sobre mi personalidad?, ¿podría probar que José León Sánchez no era un loco ni un enfermo mental?"

En mi calidad de *autodefensor* o abogado de José León Sánchez (término que el juez de Cartago se negaba aceptar una y otra vez, a no ser que la *autodefensa fuera nomás nominal*) escribí al tribunal.

El *Código de Procedimientos Penales* de 1910 contenía un artículo que en mi concepto era de oro: "Los defensores promoverán todas las diligencias y los recursos legales que creyeran convenientes para la defensa del reo" (art. 273).

Otro de esos artículos, el 297, agregaba que el juez debe decretar y recibir pruebas bastantes para la investigación: "Índole y hábitos del reo en relación con el género de hechos que se le atribuyen".

En la carta enviada al juez penal de Cartago le citaba al penalista italiano Rossi: "Los jueces, al fallar, deben y tienen que ir hasta el fondo de lo que albergan los recursos psicológicos del reo". Esa solicitud la hice en un pobre escrito allá por septiembre de 1953.

El juez solicitó al director general de Prisiones, don Víctor Manuel Obando Segura, se hiciera dicho estudio. A su vez, este último lo envió al doctor en psicología Leonel Sánchez y al doctor en psiquiatría don Gonzalo Arias. (Arias y Sánchez eran connotados profesionales de esas disciplinas médicas en la República de Costa Rica.)

La anterior era una prueba que aportaba la defensa (es decir, el reo). De conformidad con la generalidad de un proceso penal, ello significaba que el estudio debería entregarse al solicitante: al reo. En ese sentido, en la legislación costarricense de 1910 se ordenaba que el resultado de esa prueba debería recibirlo el abogado (en otras palabras, José León Sánchez, pues era mi propio abogado).

El estudio se hizo: el licenciado Jorge Obando Vega llevó a cabo la primera fase como jefe del Servicio Social Criminológico de la Dirección General de Prisiones y Reformatorios, y su informe fue muy favorable al reo, no así las deducciones del doctor Leonel Sánchez, quien describió en muchas páginas la *personali-*

76

dad neurótica del Monstruo de la Basílica. Sentía una gran responsabilidad (anota), pues por primera vez en Costa Rica se hacía un estudio semejante. Las técnicas para indagar el fondo del subconsciente del ser humano realizadas por el doctor Sánchez llegan a sorprender. Él sabía que su fallo sería histórico, y el doctor Arias no iba a quedarse atrás.

En su estudio, el doctor Sánchez usó la técnica de científicos famosos: Kriegman, Hase y Wechsler, y se sorprendió del resultado del test de vocabulario: *bajísimo,* anotó.

Test de vocabulario:

	Escala de valor		
Vocabulario:	27	de	12
Información:	17	de	12
Block Desing:	4	de	3

Según ello, el CI (coeficiente de inteligencia) de José León Sánchez era bajísimo: opera —cita— en EM 24-7. (*Un hombre normal opera en EM 15-16*, según datos de psicometría.)

El doctor Sánchez concluyó: "Por tanto, José León Sánchez *padece una grave debilidad mental,* casi hermana de la idiotez y dentro de los parámetros del criminal nato, salvaje, con movimientos impulsivos a nivel de las bestias. Además, es incapaz de distinguir entre el bien y el mal".

En enero de 1954, el doctor Gonzalo Arias Delgado, director del departamento de neurocirugía de un conocido hospital y director de psiquiatría en la Dirección General de Prisiones, terminó su trabajo y lo entregó al juez de Cartago, don Francisco Peralta:

El estudio científico en psicología había dicho que la personalidad de Sánchez mostraba una capacidad bajísima de inteligencia. Arias Delgado inició su exposición con una especie de *repris* sobre lo expresado por el psicólogo:

El trabajo de laboratorio relacionado con el electroencefalograma no sugiere disritmia. Diagnóstico: sin desórdenes mentales, tendencias antisociales, personalidad psicopática y también excitable, de acuerdo con el test de Kabs, para el que una persona así: carece de disciplina, no conoce la aplicación ni la reacción ante la amistad ni la ambición; muestra egoísmo brutal, arrogante, irritable, sin remordimientos; es rebelde ante la sociedad y la autoridad; carece del sentido del honor, de la vergüenza, de simpatía, de afecto y de gratitud. Los delitos de un hombre así son robo, falsificación, saqueo, agresión sexual y actos de violencia.

El doctor Arias criticaba en una forma muy dura algunas de mis respuestas en la entrevista:

"Yo lo espero todo de la vida."

"No me siento reo, aunque me denigren."

"Mi vida en la prisión no es reprochable y así será cuando recobre la libertad."

"No era cinismo: fui inocente y siempre lo seré."

Para la persona que leyera el informe sobre José León Sánchez era necesario que supiera lo científico del estudio; por ello, tanto los doctores Sánchez como Arias Delgado apoyaron sus conclusiones en lo más granado de la gaya ciencia en los campos de la psiquiatría y la psicología. Sus citas son sabias:

...porque así lo definen Noyes, Kabs, Carlos R. Preyra, Kraepelin, la curva de Keao, los Tests de Cubos de Wechsler, el Test de Vocabulario de Claparede, el Test de Cimball, el Test de Triángulos de Binett, el Test de Recorte de Papel de Ternan y Merril, los Tests de Asociaciones Dirigidas de Orbison y Jung y el Test de Figueras y Zimman.

El afamado doctor en psiquiatría agregaba al psicodiagnóstico del doctor Sánchez, que dice haber estudiado (por primera vez en Costa Rica) y es de una probidad calificada, lo siguiente:

José León Sánchez tiene un juicio deteriorado, características psicóticas propias de un neurótico-obsesivo y compulsivo (tesis del doctor Rapaport) y, según Zekelly, un juicio anómalo, con una morbosidad para discriminar la palabra, de acuerdo con el TAT (Test de Recepción Temática, basado en el test de los doctores Henry A. Murray y James Bernstein). Según Lombroso, éste es el tipo de criminal nato.

El doctor Arias Delgado no finaliza ahí, sino que da citas de Brewer, Drahams y Freud y termina diciendo: "José León Sánchez es un delincuente neurótico y psicópata y —para Schneiders— propio de la conducta primitiva".

Por último, Terman, Kent y Gogdeourgh dan a José León Sánchez la calificación final de: debilidad mental, psicótico, neurótico y psicópata.

Hemos anotado que esta especie de prueba sobre la personalidad del reo fue una solicitud de la defensa, es decir, José León Sánchez lo había solicitado.

El juez penal de Cartago tenía la obligación de citarme a su despacho y hacerme entrega del trabajo. De conformidad con la ley, yo debía optar por la presentación o no del informe.

Toda vez que *me conocía*, sabía que era inocente, tenía seguridad de ser como soy y no dudaba que los informes científicos me iban a favorecer: *soy inocente*. Sin embargo, el juez dio a la prensa los informes, y de un momento a otro se desató una serie de noticias sobre José León Sánchez. Ya no me llamaban el Monstruo de la Basílica, ni tampoco el Cínico. Ahora los periódicos tenían otro mote: el Psicópata.

En aquel tiempo no existía la televisión, pero la radio y la prensa abundaban en el término sobre la psicopatía. Así, el pueblo quedaba enterado de lo que es la monstruosidad de una persona psicópata. En el informe había una cita que todavía me parece extraña: los caminos que llevaron a los científicos a definir mi *debilidad mental*. Claro que yo mismo estaba muy lejos de considerarme un débil mental y casi en los lindes de la oligofrenia, hermano de la idiotez, igual a un animal o a una bestia, y menos un degenerado.

Concepción Arenal, la gran defensora del reo en el Congreso de Criminología de Rusia a fines del siglo pasado, había citado:

"De las manos de Dios nunca ha nacido un hombre a quien se pueda llamar degenerado."

En la entrevista llamó la atención a ambos doctores mi incapacidad para entender los números, pues desconocía las bases mínimas de la aritmética. En verdad (entonces al igual que hoy) me está vedado sumar. No puedo dominar las tablas de multiplicar, ni hacer una simple multiplicación de tres por siete. Puedo recordar toda una generación de hechos en la historia de la literatura o de la Humanidad, pero no la tabla del cinco, con lo fácil que es.

Es posible que una conferencia sobre la psicopatía de José León Sánchez dictada por el especialista en psiquiatría de la Universidad de Costa Rica, doctor Alvarenga, precipitara la idea que poco a poco fue germinando en los científicos costarricenses versados en criminología, penitenciarismo y criminalística. *La Nación* lo citó varias veces.

En la comandancia de la penitenciaría fuimos llevados los llamados Once Tigres del pabellón norte de seguridad máxima. El doctor Alvarenga, famoso científico del asilo para locos, nos dijo que existía una cura para la enfermedad que padecíamos:

"Todos ustedes son criminales natos. Ninguno tiene curación y, como están las cosas y las leyes, todos van a morir entre estas rejas. Pero la ciencia ha encontrado una salvación. En los grandes centros carcelarios de Europa, Japón y Estados Unidos, se está realizando una operación..."

Hizo una pausa y nos pareció que su mirada escudriñaba hasta lo más hondo de nuestro ser.

"Han llegado a Costa Rica dos o tres científicos de la neurocirugía. Proceden de la Universidad de Harvard, la más famosa del mundo, y nuestra propuesta es la siguiente..."

La propuesta era sencilla: si estábamos de acuerdo en autorizar una operación cerebral, podríamos lograr la libertad, aunque, claro está, íbamos a pasar algunos meses en el asilo para locos, preparándonos para regresar a la sociedad. La operación se llamaba —decía él— *lobotomía*. (*Todavía hoy* no puedo entender cómo estuve de acuerdo en firmar un papel para que se me practicara dicha operación.)

El juez penal de San José, en respuesta a una pregunta de no sé cuál periodista, dijo que en ello la Corte Suprema de Justicia nada tenía que ver: "Es potestad de cada ser humano hacerse una operación, como sacarse una muela". La justicia en ese campo no opinaba.

"Pertenece al campo de la criminología la ejecución de la pena, que es del dominio de la Dirección General de Prisiones."

Al día siguiente llevaron al hospital psiquiátrico al escogido entre nosotros. Era un hombre joven que había matado a dos muchachas en el volcán Irazú, acto que llevado a cabo bajo los efectos de una amnesia propia de la enfermedad epiléptica que padecía. A ese muchacho se le practicó en Costa Rica por primera vez la operación de *lobotomía*.

Yo estaba ansioso por ser el segundo. No se nos había explicado en forma científica en qué consistía la operación y menos sus consecuencias. En mi caso era tanta la miseria de mi existencia que acepté. Antes arriesgué la vida en fugas e intentos de fuga. Había buscado suicidarme abriéndome las venas del brazo izquierdo. Y en alguna medida también era (éramos) parte importante del síndrome de Estocolmo.

Nuestro capellán monseñor Carlos Humberto Rodríguez Quirós, quien años después sería arzobispo de Costa Rica. Era un hombre bueno, generoso y sabio. Hacía fila en la hora del rancho para recibir la misma porción de mierdosa comida que nos daban a los reos. Hombre inteligente, si algo es parecido a un santo, el padre Rodríguez lo era y también bueno como el pan.

Monseñor había estado en Roma, donde tenía un amigo llamado Di Tulio, director del Instituto de Turín. Cuando regresó a la penitenciaría nos visitó y preguntó por el reo número 12. Le contamos que se lo habían llevado al hospital psiquiátrico para practicarle la operación conocida como lobotomía.

—¿Y han firmado todos ustedes?

—Sí, padre, todos nosotros...

81

Monseñor Rodríguez interrumpió la visita al pabellón de los hombres desesperados y corrió al hospital. Al día siguiente regresó. Traía un papel para que todos lo firmáramos, revocando el permiso dado para que nos hicieran dicha operación. Lo que el padre nos narró fue... *horripilante*.

La operación hace que el ser humano se convierta en vegetal. Es necesario enseñar al hombre a caminar, comer, hablar... pues pierde para siempre *todas sus facultades mentales y, por supuesto, no puede volver a cometer un delito nunca más en su vida.*

El hombre operado esquiva la mirada, la gracia de reír y queda en los límites de la más tremenda idiotez. Y gracias a monseñor Carlos Humberto Rodríguez Quirós, un hombre bueno y sabio, a José León Sánchez no se le practicó la operación de lobotomía. (La persona que seguía en la lista tres días después era yo.)

10. La locura

*... y por la libertad yo diera
una mano, un ojo
y quizá las dos manos
y también los dos ojos.*

Un personaje en
La isla de los hombres solos

"Usted debe tener buen comportamiento."

El ámbito penal es un mundo redondo lleno de miseria. Siempre existe un celador que hace una recomendación —la misma para todos— y eso significa que uno, después de pasar las rejas de la prisión, debe hacerse hermano de una vida fecal, brumosa, gris, sosa e igual. Y se agrega otra advertencia: "De portarse bien se le descontará un año *penitenciario*".

Esto significa que un año se convierte en ocho meses de prisión, incluidos día y noche. Además, existe una tercera advertencia, silenciosa y muda: "Si intenta la fuga del penal, se le aplicará la pena de muerte".

Ello es así hasta ahora, 1999, en Costa Rica por orden de la ministra de Justicia, en un país donde cada hijo de la nación apremia su propio corazón con la idea de una patria democrática, sede de un Instituto Internacional de los Derechos Humanos, de la Corte Internacional de los Derechos del Hombre y del Instituto Americano de las Naciones Unidas. ¡Palabras!

Se ingresa a una ergástula en este país (lo mismo hoy que ayer) y ya el pasado es un pedazo de cielo, las manos solamente habrán de ser útiles para llenarlas de viento. (*Manos llenas de viento... me gusta esa expresión.*) El hombre, la mujer y el niño, encerrados en una prisión, sólo pueden creer en lo que ven:

que ha salido el sol
que ha regresado la noche
escuchar las mil gotas de la lluvia
imaginar que ha nacido una flor...

Portarse bien... quería decir guardar silencio, obedecer siempre, no emitir una queja, aceptar todas las leyes penitenciarias (llenas de tierra con hiel). Así es un reo modelo. La definición es propia de los psicólogos y los psiquiatras y de su hediondo corazón: reo modelo.

En el presidio de San Lucas recuerdo que un domingo a fray Casiano de Madrid, un sacerdote que nos hacía visitas de domingo por vez, un día se le ocurrió realizar entre los presos un *concurso literario*. Todavía conservo una copia del poema que escribí, el cual, recogido por el poeta nacional Jorge Debravo, se publicó en un poemario titulado *Líneas grises*. Para ese día quise decir a los hipócritas que hoy, cuando hablan del reo, lo denominan *privado de la libertad*, como en verdad era estar en ese infierno de presidio con una pena para siempre. *¡Para siempre!* es una frase que significa más allá del mañana:

Éste es el cementerio
en la isla de los hombres solos.
Todo sal
como un resabio de lo que fueron vidas.
Arena y eternidad de silencio,
como un tiempo pasado.
Jamás aquí una oración,
una lágrima,
un beso.

Es el cementerio,
donde el repicar de la piedad
jamás encuentra asomo
de corazón humano.
Ni una flor
y no flota el eco de un suspiro
en mitad de la frente.
Ni siquiera un adiós musitado con tristeza.
Aquí el final de lo que fue
mal, engaño, ambición, tortura, miedo, frío,
asco y dolor,
y suciedad por dentro,
suciedad por fuera;
solamente sal y solamente arena.
Sobre el ambiente
el precio de nuestra labor:
en el ayer nos hemos sembrado una flor
y hoy ni una perdida mariposa
visita nuestro cementerio.
Es aquí el campo malo
en la isla de los hombres solos,
hasta donde ni siquiera llegan los recuerdos,
nunca ha reventado una rosa,
se ha escuchado un llanto
o el eco de una oración.
Ya todo,
todo es sal,
todo es arena.
Sal y arena
como una sima en el mar...

La gran mayoría de reos jamás intenta una fuga. Si en verdad existiera el conocimiento del procedimiento penitenciario, los penales no serían tan tétricos y desesperados. Son diseñados porque se presume que todos los reos se han de fugar.

En su totalidad, el reo es aniquilado por el sistema, convertido en materia fecal. Asimilado por el ambiente, termina por ser un ladrillo más, una piedra henchida de vetustez. Ya solamente es un rosario de quejas que se guarda en su silencio. Pero algunos reos (el diez por ciento) hacen todo lo posible para lograr la libertad: la libertad es aire, vida, canción y pertenece más al hombre que nada en el universo.

Lo que el reo hace por lograr su libertad a veces va más allá de la imaginación. (Bueno, el suicidio es una de esas puertas de escape.) Cruzar a la fuerza rejas y murallas es la otra forma de suicidio, y a veces suele suceder que... Vargas, llamado la Macha, inició la labor de recoger el moho de las letrinas y untarlo en sus ojos. Así pensaba que lo llevarían al hospital y desde ahí lograría una fuga... perdió ambos ojos y no logró fugarse.

Un día se me ocurrió una forma de intentar la fuga. Había leído un libro sobre formas diferentes de locura, perfiles, usos y costumbres del enfermo mental.

"Enloqueceré", me prometí.

El asunto no era fácil. Empezaría por convencer a mi compañero de celda, Tabaquillo; luego vendría el turno a otros compañeros en la hora del sol. Cuando los guardianes fueran informados, me vigilará el teniente Aztúa, después el psicólogo y al final me examinará un psiquiatra.

El psiquiatra será el doctor Alvarenga. De lograrlo, sería trasladado al asilo para locos y, después de varias semanas en simulación, vendría la fuga.

También sabía que esperar en el asilo para locos: electrochoques y la terrible inyección llamada *punción lumbar.*

En la mañana no asomé mi tarro para recibir el café.

—El café, Monstruo, el café...

No hice caso. Cerrada la ventanilla, Tabaquillo preguntó:

—¿Te pasa algo?

No le respondí. Luego de horas en silencio, Tabaquillo me frotaba la cabeza una y otra vez y repetía:

—¿Te duele la cabeza, estás enfermo?

Silencio. A la hora del rancho le tiran a uno sobre el tarro el arroz y los frijoles revueltos. Todo lo arrojé en un periódico y, a la

86

poca luz de la reja, comencé a seleccionar los granos: el arroz a la derecha y los frijoles a la izquierda.

El aguadulce no lo recibí, sino que tomé agua haciendo gargaritos como un gato. En la hora del sol extendía mis manos para unirlas a las cadenas de Tabaquillo y seguía en silencio hasta el patio. Otros compañeros observaban mi conducta y hacían comentarios. Asimismo, buscaba los piojos en mi ropa y me los comía; también, casi poniendo la nariz sobre la tierra, iba siguiendo el transcurrir de un caminito de hormigas pequeñas y coloradas, y una a una las devoraba.

Al recoger hormigas, las saboreaba como si fueran caramelos. Al pasar los días, los compañeros no hacían bromas.

Tabaquillo, quien años después iba a inspirar mi primer libro (*Tortura: el crimen de Colima*) y sentía por mí un gran cariño, se preocupó. Dos o tres veces sentí que el coronel comandante me estaba observando. Entonces cerraba los ojos y al abrirlos los dirigía al sol hasta sentir daño. Quedaba como en la oscuridad.

Así pasaron días. Era un periodo crucial, pues ya en el comandante estaba la idea: *se trataba de una simulación.*

Al decimoquinto día me visitó el psiquiatra Alvarenga. Ya estaba preparado.

—¿Cómo te sientes? —me preguntó.

—Bien —le contesté.

—¿Te duele la cabeza, tienes mareos, duermes, tienes apetito?

Seguía separando los granos de arroz y frijoles, y en la noche simulaba no dormir. El comandante mandó llamar a mi compañero de celda para interrogarlo: Tabaquillo regresó al calabozo. No me dijo nada. Adiviné cuáles preguntas le había hecho, pues él sí estaba convencido de mi enfermedad.

Al vigésimo día, desde la mañana grité para que me dieran una doble ración de café.

—¡Cállate, hijo de puta, ya tienes tu ración! —me contestó un guardia.

Seguí gritando hasta que ingresó el teniente Aztúa y me aplicó cuatro cintarazos con la cutacha. Entonces guardé silencio.

Al día siguiente, cuando Tabaquillo me estaba observando dije:

—Santa María, Madre de Dios, que mataste la serpiente con la planta del pie...

Todo el día y parte de la noche me pasé repitiendo la misma cita una y otra vez. A altas horas de la noche murmuraba la letanía, y así transcurrió un mes.

Medité que no creían en mi locura. No se me iba a trasladar al asilo para locos. ¿Dónde había fallado?

Tabaquillo había preguntado a un guardián:

—¿Es que no van a tratarlo con el médico?

—¿Por qué? El comandante dice que su locura es pasiva, pues no hace mal a nadie. Es sencillamente un loco más.

"Ah —pensé—, ¿con que ésas tenemos?"

Al día siguiente, en la hora del sol, siguiendo la pauta de la pasividad que solamente brinda la locura, hice algo que hoy considero fue horrible... pero tenía que hacerlo.

En la mañana no se nos había dado sol. Al mediodía, en la hora del rancho, guardé una de las tortillas. En el patio donde tomábamos el sol, me levanté el saco de gangoche que me servía como falda, hice una necesidad fisiológica delante de todos los compañeros, quienes en seguida soltaron la risa. El guardia de presencia se me vino encima con el garrote para castigarme, pero antes de que llevara a cabo su acción, *saqué la tortilla que había guardado a la hora del rancho, la ubiqué en el cuenco de mi mano izquierda y con la derecha tomé un poco de excremento, lo puse en la tortilla y como si fuera un taco... empecé a comerlo con deleite.*

El jefe de la guardia se horrorizó, dejó el garrote en alto sin golpearme y salió corriendo para informar al comandante. Cuando éste llegó, todos los reos y guardias estaban impresionados, pues una y otra vez mascaba la caca y la tragaba como si fuera un helado...

Al día siguiente hice otro acto: saqué excrementos y orines del tarro llamado *el tambo*, especie de servicio sanitario ubicado en la esquina del calabozo, y me bañé con ellos. Y de esa forma salí al patio donde se tomaba el sol.

Tres días después llegaron con una manguera y me bañaron. Y así, desnudo, se me llevó al asilo para locos, el cual era bonito, olía a carbolina y el rancho era muy bueno, con muchas raciones de camote, arroz y sopa.

Estaba solo en una celda y sabía que, dada la cantidad de luz, se me estaba observando. Repetía lo mismo que en el calabozo del penal: recitaba día y noche la interminable letanía de la Virgen María y bebía mis orines.

Al cuarto día se me realizó un encefalograma. Los doctores no me dirigían la palabra y guardé silencio.

Al quinto día se presentó el doctor Alvarenga.

—Quiero que veas esto —me dijo.

Me enseñó una fotografía ampliada en negativo: era una serie de rayas.

—Éste es el encefalograma de un hombre loco —expresó—. Ahora mira el que te hemos sacado —me mostró otro negativo en el que se miraban hondas planas.

"Son las tuyas, José León... no eres loco, sino que estás mintiendo; pero de nada te ha de valer... si continúas simulando, ordenaré que te hagan una serie de punciones lumbares, ya sabes que son muy dolorosas.

En verdad, fue lo primero que se me practicó: introducen una aguja en la columna vertebral para sacar líquido encefalorraquídeo y analizan si padeces de sífilis, que te ha provocado la locura.

Es terriblemente dolorosa y horas después uno no se puede mover. Ahí, *al escucharlo se me cayó el zapote.* Me dio risa y dije:

—Bueno, estoy bien.

Regresé al penal, donde fui castigado un mes con la mitad del rancho por el acto de simulación.

Años después me enteré de que el doctor Alvarenga me había engañado con gran habilidad, pues con la presencia de una toma encefalográfica no se pueden determinar ondas cerebrales que definan la locura.

11. Donde los días mueren
sin nombre

La celda que se ha descrito en este libro es la del capítulo El regalo; desde entonces han transcurrido varios años. El pabellón sur tenía el ingreso por el centro de la rotonda, siguiendo por un pasillo de dos metros de ancho. En el cielo raso lucían unos bombillos quemados. El pasillo era oscuro, sucio, y al final de unos metros se descendía al primer piso por una escalera de hierro con escalones de latón. Abajo existían unos sanitarios y frente a ellos seis calabozos idénticos que integraban el averno. Esos calabozos eran *la cárcel de la cárcel*.

El doctor Jiménez de Asúa decía que la mente del carcelero es estrecha y amarga; también agregaba que en el alma de cada uno de ellos existe un criminal empedernido y sádico, cuya forma de delinquir consiste en buscar refugio como guardián de una cárcel. Y, claro, el puesto de teniente o comandante es como el refinamiento del sadismo.

Estar en un lugar como la penitenciaría de San José es infame: es el más grande y malvado destino que un hombre pueda sufrir; pero si además de ello existe *la cárcel de la cárcel*, la crueldad es inaudita.

El primer día de calabozo es terrible. Luego los ojos se van acostumbrando y adquieren la capacidad de ver algo en la oscuridad. El calabozo se abre tres veces al día: seis de la mañana, doce del día y cinco de la tarde, y cada momento para recibir la bazofia que llaman *el rancho*. Como se sabe: si no se tiene un tarro para el rancho y otro para el aguadulce, el reo deberá comer en sus manos, formando un cuenco, o habrá de conseguir un periódico o un trapo que le sirva de plato. Entonces se le da el café o el aguadulce en sus dos manos.

Diógenes escribió que era interesante recibir los alimentos así. Bueno, de seguro en la antigua Grecia a Diógenes ello le llenaba el alma, pero a nosotros no.

También se abría el calabozo como a las nueve de la mañana para tomar quince minutos de sol. Una aldaba cruzaba sobre la puerta de hierro que estaba cerrada con un candado, y algunas veces me preguntaba:

"¿Por qué nos niegan ir a los sanitarios que están a dos metros del calabozo?"

En una esquina del calabozo había un tarro. Creo que después de un año se suprimieron los tarros sanitarios, formados con la mitad de una lata de manteca *Cochinito*, porque un reo agredió a otro con el filo de la lata. Entonces había que hacer todas las necesidades fisiológicas en una esquina. Cada tres días nos sacaban del calabozo y con una manguera se lavaba el piso de la celda, la cual tenía un hedor pestífero al principio, ya después el olfato pierde la capacidad para discernir los olores y todo es igual.

Otro detalle que nunca logré entender es por qué, al recibir el sol, se nos sacaba atados por una cadena de manos de dos en dos. El patio de sol no era grande y las tapias eran altas, de catorce metros, un fortín en cada esquina, todo custodiado por ametralladoras. Entonces, ¿por qué las manos atadas con cadenas en pareja? Es que el verdugo tiene una rara habilidad mental: siempre debe estar pensando cómo hacer sufrir a su víctima.

Ahí estábamos los llamados *excrementos sociales*, de modo que para el comandante Romero y para el teniente Aztúa era lógico que nos debían tratar de esa forma.

A la edad de veinte años, el hombre está lleno de sueños. La vida se inicia en un reverbero de ilusiones; es la época en que se nos encienden los ojos al ver pasar una muchacha. El hombre mismo florece en cada pestañear de la mañana. El corazón se hincha de sangre y en cada sístole y diástole de su palpitar ya se está en el inicio de todos los caminos. Pero si el hombre pierde la libertad, la vida se detiene.

Un joven va por el camino con ilusiones, amigos, esposa, hijos y planes. Al perder la libertad, todo queda en silencio. La vida —su vida— ha de continuar después de muchos años. Entonces puede que ya nada de lo que deseó siga existiendo.

En libertad, el hombre estudia, se casa, tiene hijos y hace cosas. En prisión, el hombre no hace nada, no puede hacer nada, nada posee, no vale nada. Si tiene algún sueño, éste debe esperar hasta el día en que recobre la libertad: meses después, años después o puede que nunca. En el patio comunal de un penal, donde habitan cientos de reclusos, se puede decir que se vive, se intercambian ideas y se reciben las visitas.

En un calabozo solitario, nada de eso es posible; incluso en el patio, a la hora de tomar el sol se prohíbe la conversación entre unos y otros. Nunca entendí el porqué de esa orden. Solamente se puede hablar con nuestra pareja y no se permiten grupos de más de cuatro: dos y dos atados por la cadena de mano.

La ley, el *Código de Procedimientos Penales* de 1910 que nos regía, autorizaba al comandante a aplicar *grillos, grilletes y calabozo* cuando así lo ameritara el caso y por *tener mal comportamiento*. Pero sucede que yo no había tenido mal comportamiento, ni tampoco Palacios, Hernández y menos Ronulfo Morales, pues lo único que hacía era leer la *Biblia* en las horas de sol y rezar.

En el calabozo, mañana es igual que ayer y ayer es una copia exacta del mañana. Los días mueren sin nombre. No existen lunes, martes, miércoles, jueves, viernes, sábado o domingo. Igual son las semanas, lo mismo que los meses; tampoco hace falta. ¿Qué diferencia existe entre un domingo y un viernes? Ninguna.

La vida en el calabozo es exactamente como sigue: todo es penumbra. En el centro de la puerta un rayo de luz revela que es de día. Debajo de la puerta, una raya hace entrar la claridad. Aztúa lleva a cabo un nuevo invento: tapaba el círculo como del tamaño de una moneda en el centro de la plancha de hierro y también acuña trapos que cubren la hendidura del final de la puerta. Entonces todo es una oscuridad perenne, interrumpida solamente en la noche por el sonido del riel en los fortines, que suenan cada ocho minutos, lo cual es señal de que el guardián no está dormido.

Hay un silencio total: estamos viviendo el día. Se escucha el eco de los rieles: la noche avanza paso a paso, lentamente...

El reo camina como lo hacen los tigres en las jaulas del zoológico. Es como hermandad del fastidio. Al caminar de un lado a otro del calabozo, imaginaba que subía cuestas, bajaba montañas, surcaba orillas de los ríos, cruzaba las calles de la ciudad, y pensaba:

"Hoy es domingo. La gente se viste bonito, con sus mejores galas y, esbozando su más hermosa sonrisa, sale de la misa.

Hoy es lunes, día en que revienta la plaza de ganado de Alajuela.

Y hoy, ¿qué día es? Bueno, no lo sé, no hace falta... a la mierda las horas y el nombre de los días."

En el día duermen los parásitos: alepates y piojos. En la noche empiezan a atormentarnos. Hoy en Costa Rica ha desaparecido el alepate, un insecto ya en extinción. Dicen que somos parte de una cadena vital y que unos y otros somos hermanos y herederos del universo... pues a mí me gusta mucho la idea de que hayan desaparecido el alepate y la nigua.

Tenía como colchón un poco de periódicos. En horas de la noche escuchaba cómo el alepate se dejaba caer desde el cielo raso del calabozo y sucedía algo interesante en la oscuridad, movía los dedos y la palma de las manos para localizarlos, pero al matarlos hedían mal. Eran unos chupadores de sangre bestiales.

Entonces la vida... mi vida *fue así y así* por años. Había que esperar a que monseñor Carlos Humberto Rodríguez Quirós fuera capellán de la penitenciaría para que las cosas cambiaran. Allá, una tarde y otra, pensaba en mi caso. Cuando tenía oportunidad, mandaba un recado al juez de Cartago escrito en el reverso de una cajetilla de cigarrillos *Ticos*. En ella decía —*una y otra vez y otra vez*— que debía darme la oportunidad de hablar con él y ver mi expediente.

¡Nada, nada de nada y nada! Fue como un marasmo lo que me hizo llegar a ser parte del calabozo, de la mierda en el calabozo, de los orines en el calabozo, de la oscuridad en el calabozo y del silencio en el calabozo.

Olvidé la forma de hablar y de reír. Me llamaba la atención que aún en la hora del sol, unido por una cadena a las manos de Marino Hernández, nada tenía que decirle. De él tampoco nada debía escuchar. Todos estábamos en lo que estábamos: matar los piojos en las costuras de nuestras empobrecidas vestimentas.

Como el tiempo no alcanzaba, pues eran pocos minutos de sol, solía morder las costuras una a una como si fuera un peine y así mataba piojos y huevecillos. Sin embargo, un algo me mantenía con vida. Una y otra vez repetía dentro del silencio de mis pensamientos:

—Paciencia, José León, paciencia, eres inocente y te dejarán en libertad.

—Sí, sí, pero ¿cuándo? —me preguntaba.

—Mañana, José León, mañana —me respondía a mí mismo.

Y luego regresaba al silencio, un silencio negro como la negrura, un silencio como la soledad, un silencio que pervivía de siempre y para siempre: *igual a lo igual.*

Había una pequeñísima felicidad en la hora de tomar el sol: desde que salía del pasadizo iba con los ojos pegados al suelo. Dichosamente, Marino Hernández no fumaba y entonces yo no tenía competencia. No más al ver una colilla de cigarrillo, me detenía y con el dedo gordo de un pie la juntaba. Y sucedía (dicha de dichas) que regresaba al patio de sol hasta con tres colillas de cigarrillos.

Recuerdo que una vez encontré toda una cajetilla. Me pareció un sueño: la ahorraría hasta para siempre; pero al ver los ojos de los compañeros, me dio un no sé qué y los repartí entre ellos.

¡Fumar! La delicia más hermosa del mundo es fumar, hasta que ya la pinche colilla amenace con quemarnos los labios; pero aspirar el tabaco y al final mascar las cenizas, ¡es la gloria de glorias!

También hablé de las cuechas que los guardianes mascaban, las cuales poníamos a secar y con ellas formábamos un puro.

En el centro de la puerta de hierro había un hoyito y a la par de él la puertecilla que se abría para recibir el rancho. Era poco o nada lo que se podía observar si uno pegaba los ojos al hoyo. Un día descubrí al guardián del pabellón sentado allá enfrente aspirando un cigarrillo:

—Señor, ¿me regala la colilla, por favor?

Claro que lo sabía: es probable que de los otros calabozos hubiera recibido el mismo ruego; sin embargo, se acercó y me dijo:

—¡Toma!

Saqué los dos dedos.

—En la boca.

Entonces acerqué los labios y él me dio casi entero su cigarrillo. Me encuclillé en una esquina del calabozo para aspirar con deleite el humo; cuando sentí que se me estaba terminando, lo apagué y en una hora despacio, muy despacio, masqué el resto y me tragué la ceniza. En algunas oportunidades, el guardián daba la colilla a otro compañero, pero un día hizo algo. Escuché su voz que se acercó al hoyo y me preguntó:

—¿Quieres un cigarrillo?

Observé: tenía en sus dedos un cigarrillo entero. Y luego hice lo que siempre hacía: entreabrí los labios y me acerqué al hoyito para que me pusiera el cigarrillo encendido; no obstante, sentí que un palo me ingresaba en la boca y luego oí su risa... Me había introducido un palo embarrado de una gran pelota de caca en la punta. Me limpié la mierda de los labios con el dorso de la mano. Escuché su risa histérica, su carcajada sarmentosa.

Me sentí humillado, más humillado que nunca. Era el precio del odio y así lo entendí. En ese instante me hice la promesa formal de que nunca (*nunquísima*) volvería a fumar, y así ha sido hasta ahora. Me vino a la memoria el regalo que hacía años me había obsequiado el compañero Veinte Años, quien ya no vivía, pues desde hace tiempo, en su calabozo, un recluso desesperado le metió un punzón en el estómago muchas veces hasta quitarle la vida. La anécdota me causó desaliento. Sí, es posible que duela estar triste, a veces me inunda una tristeza más profunda que la tristeza misma. Ayer lo había realizado un reo y hoy el guardián.

Al día siguiente me negué a salir a la hora del sol. No podrían obligarme y en un mes no salí del calabozo. Me la pasaba acurrucado en una esquina en posición fetal. No me importaban los alepates, ni podía pensar ni llorar. A veces silbaba. Me gustaba silbar las canciones que había aprendido en el Hospicio para Huérfanos.

Creo que dormía o creo que no dormía.

Me rascaba los piojos de la cabeza y silbaba.

Una mañana se abrió la puerta del calabozo y ahí estaba Marino Hernández, quien suplicó:

—José León, tengo un mes de no recibir el sol... dicen que solamente podemos salir de dos en dos y como estoy solo... te ruego que salgas a tomar el sol, pues de no ser así no me sacarán.

Me quedé mirándolo; era como una súplica.

Marino Hernández Ruiz, alias Tabaquillo, era un hombre despreciado, odiado, maltratado y hermano de mis hermanas: la humillación y la tortura. Sucedía que de repente él me decía que yo era para él muy importante porque significaba minutos de sol. Alargué la mano derecha para que me pusieran las cadenas de mano y se me atara a Marino.

—Algo te está pasando, José León, algo te está pasando.

—Nada, Marino, no me pasa nada.

Marino seguía hablando, pero no lo escuchaba. En una esquina del patio, junto a un macetero que contenía violetas, había descubierto algo. Ese algo no me permitía escucharlo: eran los restos de un vaso de vidrio quebrado por la mitad. Marino siguió la mirada y dijo:

—No, José León, no... nos matarían.

Creyó que tomaría el vaso y agrediría al guardián. No iba a hacer eso. Otra fue la idea.

Me acerqué con disimulo, tomé el vaso quebrado y lo guardé entre los pliegues de mi saco de gangoche. En la celda calabozo empecé a jugar con él; le hablé al vaso, le dije cosas, le conté parte de mi vida. Sentía entre mis dedos su filo. Era cierto: su filosidad podría ser mi... ¡libertad!

Tomándolo bien fuerte, me lo acerqué al brazo izquierdo y lo introduje con fuerza, con rabia dentro de mis venas... me costó un poco, pero lo logré. Un chorro de sangre pegó en mi rostro; la sangre era caliente y tenía un tibio sabor a sal... Esto me dio risa. No sé por qué, pero me dio risa.

Entonces me senté en una esquina del calabozo y sentí que una oscuridad me rodeaba. Quería morir, iba a morir... todo, todo, todo, terminaría para siempre.

Una paz inundó mi conciencia, cerré los ojos y perdí el conocimiento.

12. Sentenciado a pena
de muerte

Cuando monseñor Rodríguez Quirós fue nombrado capellán de la penitenciaría, las cosas cambiaron un poco. Con el fin de luchar contra la barbarie existente, fundó un Patronato para la Asistencia del Reo. Ya desde entonces teníamos carbolina para asear los calabozos. En muchas de sus fases, la penitenciaría fue diseñada para albergar a *gente mala*. Cuanto más oprobioso fuese el sistema, según los ideólogos penitenciarios, mejor sería la *rehabilitación del reo*.

Muchos años antes, en el pabellón sur —lugar donde habitábamos los llamados reos peligrosos— se habían cerrado con ladrillos las ventanas; sin embargo, monseñor Rodríguez hizo que fueran abiertas de nuevo. Ya desde esa tarde se allegó a nuestra vida algo que hoy no entiendo, se puede decir que era *amable*. Se trataba de las rejas.

Suprimidos los ladrillos, la ventana con rejas quedó espléndida. Antes era un calabozo cerrado, de manera que la luz ingresaba por un hoyo de pocos centímetros y por debajo de la puerta de hierro.

La ventana tenía un metro de ancho por medio de alto y lucía una hermosa reja. ¿Hermosa reja? Sí, una hermosa reja por donde el aire ingresaba como un río, la luz a raudales y a veces hasta unos rayitos de sol. Lo más importante es que uno podía leer un libro estando parado junto a la reja.

Desde que don Manuel Mora Valverde fue nuestro compañero en estos calabozos, llegaron muchos libros. Una vez que el caudillo comunista salió libre, los libros daban vueltas y vueltas. Un día llegó hasta mis manos uno pequeño, impreso en papel periódico y titulado *La razón de mi vida*. Lo había escrito una mujer·hermosa como recuerdo y homenaje para su esposo Juan Domingo Perón, Presidente de Argentina.

Quedé tan impresionado al leer el libro que me dije:

"Voy a escribirle una carta a su autora."

De esa forma le escribí a Eva Duarte de Perón, creo que cinco páginas, escritas con lápiz. Alguien me regaló el sobre y las estampillas. Con el tiempo me olvidé haberle enviado carta a esta señora, a quien llamaban la Madre de los Descamisados.

"Yo —le decía— soy el más pobre, miserable, envilecido y enrejado de todos los descamisados del mundo."

En palabras pequeñas le contaba mi drama. Vivía en la más redonda de todas las miserias, acusado de un delito que nunca había cometido, y le pedía que por favorcito (*por vida suyita*) hiciera algo por mí y lograra que me enviaran a este penal los libros que constituyen todo el currículum de un doctor en derecho de la Universidad de Buenos Aires.

"Es mi deseo, señora, estudiar derecho, en especial derecho penal."

En ese tiempo me sucedió una historia interesante. Una mañana me citaron a la comandancia del penal. Cuando llegué, en una silla me esperaba un joven y a sus pies dos cajas.

—¿Sabes quién soy? —me preguntó.

Claro que lo sabía: era uno de los periodistas del diario *La Nación*.

—No, no sé.

—Bueno, no tienes la obligación de saber mi nombre: soy Joaquín Vargas Gené, del periódico *La Nación*.

—¡Hummm!

—Te veo muy extraño, José León.

Hacía sólo tres semanas que *La Nación* había publicado un artículo de primera página. Sucedió que dos poetas conocidos,

Claudio Barrera y Berrocal, se las ingeniaron para introducir en el penal una pizarra y una caja de tiza, cuadernos y lápices. Fue un regalo que llegó como una donación de las hermanas Teresita y Nury Raventós, muchachas muy hermosas, hijas del dueño de una cadena de cines, quienes llegaron al penal invitadas por monseñor Rodríguez.

Se escogió mi celda-calabozo para que, durante las horas, que se habían ampliado para recibir el sol, pudiéramos tomar unas clases de gramática e historia.

¡Ni para qué se enteró *La Nación!* En primera página apareció el titular donde se decía que José León Sánchez tenía o estaba formando *una escuela del crimen*. El artículo estaba firmado por don Mario Echandi Jiménez, un candidato que luchaba por lograr la presidencia de Costa Rica. Resultado: la dirección del penal decomisó todo el material y cerraron la incipiente escuela de Berrocal y Barrera.

Así, pues, el nombre de Joaquín Vargas Gené no me era nada grato.

—He sabido que ningún abogado de Costa Rica quiere hacerse cargo de tu defensa.

—¿Lo leyó en *La Nación?*

—Mira, José León, no pongas cara de malas pulgas... yo he estudiado para graduarme de abogado en la Universidad de Costa Rica muchos años, pero ahora sé que mi vida es el periodismo. Hace meses dejé la Escuela de Derecho y por eso vengo a ofrecerte todos los libros que me sirvieron en la universidad.

—¿De verdad?

No sabía si agradecerle o reír. Posé la mirada sobre las dos cajas grandes, que en verdad rebosaban de libros.

El poeta Berrocal era famoso en Costa Rica, pues estaba en la *Antología de la literatura* que escribió don Rogelio Sotela. Berrocal, Barrera, Lorenzo Palacios y yo no cabíamos de gozo.

En las cajas venían muchos libros de derecho penal y de derecho procesal penal: una colección especial de criminalística, criminología y penología, así como los grandes tratadistas del derecho; también una colección del boletín judicial publicado cada día en la *Gaceta Oficial*, donde aparecían los juicios de casación que habían ganado dos de los grandes juristas costarricenses: Abelardo Borges y Arturo Moncada. Me hice el firme propósito de iniciar cuanto antes el estudio de todo lo que fuera el derecho penal, y en especial seleccioné un libro: *La aplicación de las penas*, de Guier y don Antonio Picado. Pero el estudio del derecho iba a tener que posponerlo por dos meses, ya que en la hora del rancho me sucedió una desgracia.

El rancho (esa bazofia llamada comida) se distribuía en la rotonda, lugar desde el que salían corredores hacia todas las secciones del penal: *a*) el pabellón oeste, donde se tenía a los reos no calificados como peligrosos (que eran los más); *b*) el pabellón este, que era el lugar para ubicar a los vagos, los chicheros y los menores; *c*) el pabellón norte, en el cual se tenía a hombres de alguna preferencia por su edad, situación social o económica o nexos políticos: era lo que se llamaba preferencia, y luego, claro, *d*) el pabellón sur, donde se hallaban los hombres de altísima peligrosidad —decían los guardianes.

Cada reo tenía dos tarros: casi siempre eran de sardina o de salmón. En uno se recibía el aguadulce y en el otro el arroz y los frijoles, o los macarrones agrios, sin sal. Yo iba en la fila paso a paso con mis dos tarros extendidos, cuando un compañero me golpeó la espalda como un saludo en son de broma:

—¡Hola, Basílico!

El golpe fue tan duro que me dio mucha tos y, volviendo el rostro al suelo, lancé un esputo. En ese instante sentí sobre la espalda un cintarazo: era el teniente Aztúa, quien me dijo:

—¡Jueputa, cochino...!

—Lo hice sin culpa, señor, sin culpa...

—¡Cochino... levanta ese gargajo del suelo!

—Sí, sí, lo he de hacer...

Y antes de hacer efectiva la acción, me lanzó de nuevo otro cintarazo que ardió más que el anterior y me saltó la sangre. Eran tiempos en que no tenía camisa ni pantalón. La vestimenta era la usual de todo reo en la penitenciaría central: un saco de gangoche abierto y rodeando la cintura como una enagua, y otro medio saco que usábamos sobre la espalda al estilo de manta, como la utilizada por los hindúes.

Me incliné y con el borde del saco intenté limpiar la saliva que había lanzado al suelo. La rotonda era como el eje central del penal. Ahí los reos también recibían las visitas los jueves y domingos. El suelo era de laja y lucía mugroso, con una costra de varios centímetros sobre él, pues nunca se lavaba. Ése era el piso que yo había *ensuciado* con mi saliva involuntaria, según el teniente Efraín Aztúa.

—¡No, hijueputa, con la lengua!

Sumiso acerqué mi lengua y limpié, absorbiendo saliva sobre el piso.

—No está limpio, ¿no lo ves, maldito?

Su bota restregó el suelo en el lugar que ya había limpiado y señaló:

—¡Debe quedar limpio... limpio, maldito, limpio!

—Lo que usted está haciendo, teniente, es un abuso... lo denunciaré ante monseñor Rodríguez.

—¿Cómo se atreve, monstruo asqueroso, a decirme eso?

Entonces, levantó sobre su cabeza la cincha, pero no me la descargó. A cambio de eso dijo:

—¡Al calabozo, ya, gargajo, vamos!

El último de los calabozos se había dejado como antes para que sirviera de castigo. Pasé ahí dos meses castigado por haber violado la regla del penal de no escupir en el suelo. Fueron dos meses de gran ansiedad, pues estaba pendiente del paso del tiempo. Día y noche soñaba con los libros que me había regalado el periodista que no quiso ser abogado.[1]

---

[1] El periodista aludido en este capítulo regresó a las aulas de la universidad y se graduó como abogado. Fue ministro de Justicia y Gracia y magistrado de la Corte Suprema de Justicia. Después llegó a mantener con José León una amistad fraternal que duraría para siempre. (*N. del E.*)

Después de muchos años, superado el rechazo inicial de los reos hacia mi persona, el solo nombrarme significaba liderazgo en los pasillos enrejados. Los reos terminan por sentir admiración por el más famoso de todos ellos. Empero, dos actos fueron poco a poco desdibujando el respeto que me tenían.

Una noche ingresó el teniente Efraín Aztúa a nuestro pabellón. Para llegar a él se recorría un pasillo de pocos metros. El militar nos reunió y dijo:

—Vamos a dejar las celdas abiertas hasta las once de la noche.

Y acercándose a Rasquiña (uno de los compañeros más locos que teníamos) agregó:

—Una alimaña asquerosa va a ingresar en este pabellón en pocos minutos... pueden hacer con él lo que quieran.

Hizo más, acercándose a Rasquiña le dio dos puñales y le dijo:

—Ha de haber una recompensa... *si lo matan.*

Diez minutos después ingresó en el pabellón un hombre vestido de negro, con corbata sucia azul. Traía en sus manos una bolsa llena de comida. Portaba un reloj de pulsera y lentes de carey enmarcados en oro. A su ingreso sonrió o intentó sonreír. De inmediato, Rasquiña y su amante, llamado Franklin, se le acercaron. Barrera, Berrocal, Palacios y yo nos hicimos a un lado.

Sabíamos lo que iba a suceder... pero no era nuestro día. Era la costumbre asaltar al recién llegado y despojarlo de todas sus propiedades.

En un instante reconocí al personaje:

—¡Es don Manuel!

Sí, era el licenciado don Manuel Mora Valverde, fundador del Partido Comunista de Costa Rica. La clase obrera lo consideraba un héroe y a él se debía la revolución social de Costa Rica en 1940; era el padre de los grandes logros sociales y de las reformas más importantes en la historia patria.

En un instante se me encendió una luz: Rasquiña mataría al recién llegado, pero unos minutos después ingresaría la guardia en grupo y nos matarían a todos. Por ello, protegimos a don Manuel Mora y, cuando una hora después ingresó la guardia con

103

aviesos propósitos, el poeta Berrocal, cubierto por todos nosotros, gritaba:

—¡No pueden hacer eso, no pueden hacer eso!

Nos metimos en un calabozo con don Manuel y no lo sacaron
como intentaba hacer el teniente Aztúa. Siempre don Manuel
Mora Valverde nos agradeció ese gesto.

No pasarían ni tres semanas cuando sucedió lo que en el penal
llamarían *la quebrada de espinazo de Basílico*. Sucedió en la hora
del sol. La jueza tutelar de menores, María Eugenia Vargas, esposa del presidente de la Corte Suprema de Justicia, le había impuesto una pena de 45 años de prisión al Ñato Lara por un doble
homicidio, ya que en el delito había participado un menor de
edad.

Cada semana o una vez al mes, los jueces y alcaldes tenían la
obligación de hacer una visita carcelaria para escuchar las quejas
de los reos a su cuidado, quienes estarían a su cargo hasta que
hubiera una sentencia de segunda instancia y el reo pasara a disposición de la Dirección General de Prisiones.

Estábamos en mitad de las dos horas del sol cuando ingresó en
el patio la señora jueza. Fue un recluso de pena perpetua quien
nos dio el aviso:

—El Ñato Lara va a matar a doña Eugenia.

El juez ingresaba en el penal siempre con escolta, pero ese día los
dos escoltas de doña María Eugenia fueron llamados de emergen-
cia y quedó sola en mitad del patio, rodeada de algunos presos.

Todo lo hicimos en un instante. Cuando vimos al Ñato Lara
que se dirigía a doña María Eugenia para asesinarla por la espalda, nos interpusimos; el reo nos gritaba improperios. La señora
no entendía bien lo que estaba pasando y, después de un instante, creyó que nosotros íbamos a matarla. El poeta Berrocal, Satanás, Palacios y yo la cubrimos. Le gritamos al guardián de la reja
que nos abriera, pero él dudaba, pues también creía que intentá-
bamos un secuestro con la señora jueza.

Doña María Eugenia se dejaba arrastrar hasta la reja y estaba
aterrorizada.

—¡Abra la reja, abra la reja...! —gritábamos.

El guardián abrió la reja y en ese instante acudió una patrulla armada. Nos encañonaron. Doña María Eugenia, como enmudecida, no acertaba a hablar, mientras los guardianes ya nos apuntaban y en un segundo iban a disparar sobre nosotros.

Nosotros habíamos hecho frente al Ñato Lara con una platina y un puñal.

—¡Suelten el puñal, suéltenlo! —nos amenazó el sargento. El Ñato Lara se escabulló en un segundo. Los reos miraban el asunto y todos estaban como frente al toro: lamían en su mente el instante en que Lara destripaba a la señora Vargas.

La licenciada Vargas reaccionó y gritó que nosotros la habíamos salvado. La historia del asalto contra la jueza tutelar de menores no llegó a los periódicos. Sin embargo, la dirección del penal tomó medidas y desde ese momento en adelante los jueces sólo podrían ver a sus enjuiciados a través de la reja central.

Al día siguiente, en la hora del sol, Satanás y yo pudimos observar la mirada esquiva de los reos. El Ñato Lara y Pipiolo fueron trasladados a otra sección del penal y nunca más volvimos a saber de ellos. Con seguridad les aplicaron la ley fuga, pues se decía que abajo, sobre la corriente del río Torres que circunda la penitenciaría, se habían descubierto dos cuerpos flotando.

Pronto el penal me demostró su desprecio: habíamos cometido el peor crimen que un reo puede realizar en una sociedad penitenciaria, la cual cuenta con una memoria colectiva de una gran organización. Es un lugar donde existen costumbres férreas: un idioma (caló) y una forma de conducta en la que el reo no puede ni debe hacer nada en favor de un guardia, ni siquiera lo mínimo, como saludarle, responderle un saludo o sonreír.

El patio donde ahora nos estaba dando el sol era el pabellón oeste, de dos plantas. Empezaron a ocurrir cosas extrañas en mi contra: en una pared apareció sobre los ladrillos rojos un graffiti pintado con carbón que decía: *Monstruo de la Basílica: traidor.*

Entonces empecé a compartir con nerviosismo la hora de tomar el sol, también Palacios, Satanás y el poeta Berrocal. En los momentos en que estaba tomando el sol y buscando piojos en mi atuendo de gangoche, me lanzaban bolsas con excremento desde el segundo piso. Asimismo, solía suceder que a nuestro ingreso en el pabellón para recibir el sol, los reos emitían una rechifla.

Sentía en verdad que mi vida corría peligro. Le escribí una nota al señor comandante en una cajetilla de cigarrillos, así como una carta al juez. Hice más: mandamos una carta al señor presidente de la Corte Suprema de Justicia, don Fernando Baudrit, en la cual dábamos cuenta del peligro que estábamos pasando por la acción a favor de la licenciada María Eugenia Vargas Solera. Nadie nos respondió.

Es que nuestro acto en verdad significaba la más negra de todas las traiciones: *salvar la vida a una representante del Poder Judicial. La frase Poder Judicial es lo mismo que decir la negritud en esencia entre los enemigos del reo.*

Hubo un juicio, pero no me enteré de él. Mucho tiempo después llegué a saber que Palacios, Satanás, el poeta Berrocal y yo fuimos sentenciados a muerte por otros reos que se sentían traicionados.

Recordemos: las sentencias de muerte en una penitenciaría no tienen notificación, ni apelación, ni se dan a conocer al que resulte "agraciado" con ellas. Lo sabía yo, que una vez fui juez en una situación semejante.

La ejecución de la pena de muerte en nuestra contra fue encargada a un muchachón campesino, llamado el Cholo de las Cabras. Yo estaba en la letrina haciendo una necesidad fisiológica cuando lo miré en un instante. Vi que levantó sobre mi cabeza un bate de beisbol al que le había incrustado clavos de hierro. Sentí un primer golpe y ya no me di cuenta de más. Luego iba a saber que un compañero, Leopoldo Castro, se interpuso, luchó con el Cholo y evitó que me rematara. Siempre le estaré agradecido por el gesto. Desperté en el Hospital San Juan de Dios y a mi lado estaba el periodista Joaquín Vargas Gené. Monseñor Carlos Humberto Rodríguez Quirós fue a visitarme. Luego supe que el mismo monseñor y dos monjitas habían dado la sangre para la operación que me salvó la vida. Eso fue lo que originó que fundara años después el Primer Club o Banco de Sangre en Costa Rica, como agradecimiento.

Recuerdo que para 1959, el Banco de Sangre ya estaba tan bien organizado que logramos enviar sangre por medio de la empresa de aviación Taca a los hospitales de La Habana, Cuba.

Los periódicos hablaron mucho de eso y llamaba la atención que el Banco de Sangre Viviente estuviera integrado por prisioneros de la Penitenciaría Central de San José.

13. El crimen de Colima

Sala Tercera de lo Penal, Corte Suprema de Justicia.

San José, Costa Rica, diez horas y veinte minutos del cuatro de noviembre de 1994.

CONSIDERANDO IV:

Como puede observarse, la historia del mencionado proceso judicial revela una serie de anomalías e irregularidades que originó en años posteriores diversas publicaciones e investigaciones. En septiembre de 1993, la obra del escritor nacional José León Sánchez, *Tortura: el crimen de Colima*, a no dudarlo, viene a poner de manifiesto las deficiencias de la administración de la justicia cuando las autoridades (especialmente las encargadas de la investigación de los delitos) van más allá de los límites impuestos por los instrumentos jurídicos y creen que "el fin justifica los medios", con lo cual lo único que logran es vulnerar el estado de derecho y restar credibilidad a sus instituciones.

Con el fallo anterior y acatando un informe de la Sala Constitucional de Costa Rica, la Sala Tercera de lo Penal acogió una revisión de causa presentada por el jurista nacional licenciado Gerardo Rojas Solano y declaró la inocencia de Lorenzo Palacios, Ronulfo Morales Montero y Marino Hernández Ruiz.

Regresemos en el tiempo...

23 de diciembre de 1951

Ese día, a las tres de la tarde, una pareja de jóvenes apareció masacrada en un callejón ubicado en un cafetal en Colima, cerca del río Virilla. Fue un crimen de espanto.

Tres hombres fueron capturados por la policía al mando del director de detectives Jorge Pacheco, teniente, ex alumno de la Escuela Militar de Guadalupe y héroe de la Revolución de 1948.

Sometidos a crueles torturas en ese nefasto lugar, los tres confesaron ser autores del doble asesinato.

10 de enero de 1952 a las tres de la tarde

Ese día, los prisioneros del salón de seguridad pasamos golpeando las paredes de hierro del calabozo con nuestros tarros para recibir alimentos, solicitando nuestra hora de tomar el sol.

El teniente Aztúa había impuesto una costumbre:

"El reglamento dice que los incomunicados tienen derecho a disfrutar una hora de sol... pero si no alumbra el sol, ¿cómo diablos dicen tener derecho a esa hora?"

Aplicando esa lógica de todos los meses del invierno... no la recibíamos. El comandante Leónidas Romero, el subcomandante Guillermo Lépiz y el teniente Efraín Aztúa no entendían que, para nosotros, una hora fuera del calabozo era un respiro de luz.

A las tres de la tarde fuimos llevados en pareja hasta el patio. Antes de salir del pabellón y una vez fuera del calabozo o celda de seguridad, era costumbre que se unieran los reos de dos en dos por medio de cadenas de mano cerradas con candado.

El patio no era grande: 25 por 25 metros. En la orilla de los caños había maceteros con geranios. Uno de nuestros compañeros, al que llamábamos Bolsa, se ubicaba en el lugar donde desembocaba el desagüe de la cocina principal de la comandancia. Lo que Bolsa llamaba *el desagüe de las delicias.*

En verdad era interesante ese desagüe. Recogía las sobras de la cocina, en especial las cáscaras de verduras que el cocinero tiraba en la pileta y también pedazos de carne muy gorda, pues el comandante Romero estaba a dieta. Y Bolsa, usando un pedazo de manta, hacía de colador para que se atrapara ahí todo el sobrante del café cuya broza se lanzaba al caño. Ese café luego se colaba y destilaba de nuevo (sabrosura de verdad).

El patio es el lugar por donde los otros reclusos transitaban hacia la huerta o el taller de carpintería, de modo que algunos reos lanzaban las colillas de los cigarrillos, las cuales luego fumábamos con deleite. También (en ese tiempo) existía una vieja costumbre: mascar tabaco. Éste se vendía en tabletas y muchos guardianes lo mascaban en varias ocasiones; una vez mascado y desprovisto de su jugo, escupían lo que se llamaba la *cuecha*. Aquí y allá encontrábamos cuechas que, una vez secas, nos servían para hacer cigarrillos.

Había otro tesoro que salía por el desagüe: *ratas*, grandes, lirondas, abotagadas, grises o negras, de ojos azules. No siempre era posible cazar, pero cuando se lograba esa hazaña: *¡gloria de glorias!* Todavía recuerdo la exquisitez de una de esas ratotas asadas y con un punto de sal. ¡Deliciosas!

Cierto día, cayó en el patio, herida, un ave carroñera de esas que se llaman zopilotes. Dichosote el reo que la atrapó. Era un zopilote no muy viejo, pero sabía a algo.

Cuando ingresé en el patio me extrañó (nos extrañó) ver a los tres nuevos inquilinos del pabellón: Palacios, Morales y Hernández. Marino Hernández, alias Tabaquillo, parecía una momia. Estaba cubierto de vendas y caminaba arqueado como si fuera corbeta: es que le habían apretado los testículos con unas pinzas hasta reventárselos. Lo que más me llamó la atención de Marino Hernández es que estaba pelando una naranja grande, valenciana, que parecía cuenco de sol con almíbar.

—Amigo —le dije—, ¿me regala las cáscaras?

—Ya me las pidió el negro...

Así me respondió Marino Hernández Ruiz, uno de los acusados por el horrendo crimen de Colima. No necesitaba contarnos que lo habían torturado. Así también se inició mi amistad con uno de los hombres más buenos, honrados y sacrificados que he tenido la oportunidad de conocer en toda mi vida.

Llegaron los años, se fueron los años

Marino Hernández Ruiz pasó a ser mi compañero de celda. Mil veces repetía su inocencia. Una, otra y otra vez, hasta el cansancio. Para él significaba una catarsis. Ambos habíamos sido juzgados como criminales de la peor lacra en Costa Rica y ambos éramos inocentes.

La tramitación de su expediente fue una de las farsas más bochornosas en la historia del derecho penal de Costa Rica. Morales, Palacios y Hernández jamás llegaron a tener la presencia de un abogado defensor. Y también en muchos años nos tocó recibir la hora del sol con la cadena unida a nuestros brazos.

Y de nuevo una tarde fui llamado a la dirección del penal. Ahí, en el lujoso despacho del coronel Romero estaba un hombre pulcramente vestido. Parecía alcalde o juez.

—El señor embajador de la República Argentina...

Me quedé mudo. La verdad es que habían pasado tantos meses que ya no recordaba haber escrito a doña Evita Duarte de Perón.

—Esta carta es para usted, de la señora Evita Duarte de Perón —nunca en mi vida leí con tanta vehemencia. Emanaba un cierto aroma. Se la pasé al coronel Romero para que la leyera él primero como manda el reglamento. El militar, con un gesto simpático (el único que le conocí en su vida), dijo:

—Es para usted... léala.

Me llamaba *amigo*: "Amigo don José León Sánchez..."

Al día siguiente, Marino Hernández Ruiz y Lorenzo Palacios me ayudaron a recoger el tesoro que constituía el regalo de doña Eva Duarte de Perón.

Una caja de madera contenía la historia de la Revolución Francesa, los doce tomos del historiador y crítico francés Hipólito Taine, y también su filosofía del arte. Un cajón de pino grande, lleno hasta el tope, guardaba una colección de la famosa revista

111

argentina *Leoplán*, donde cada quincena se publicaba una de las obras maestras de la novelística mundial.

Otra caja traía todos los libros que eran necesarios para obtener un doctorado en derecho penal en la Universidad de Buenos Aires, así como todas las obras de Cuello Calón, Sebastián Soler y don Aniceto Alcalá Zamora, último presidente de la República Española, asilado en Argentina y profesor de derecho constitucional en la Universidad de Buenos Aires. Como para que uno pudiera saber todo lo necesario de la seudociencia penitenciaria, los delitos y el delincuente, ahí estaba también la obra completa del gran tratadista español Jiménez de Asúa.

Un compañero nuestro, guatemalteco, abogado: le llamábamos el licenciado Carrera.

—Y ahora a estudiar derecho penal —sentenció.

Sin embargo, había un problema. Para entonces se permitía la reunión de reclusos sólo en parejas, no de a tres. (Mi pareja era Hernández.) En el patio necesitaba conversar con el licenciado Carrera. El capellán de la penitenciaría, monseñor Carlos Humberto Rodríguez, logró que todas las tardes del jueves hubiese una reunión en la capilla para hablar sobre el *patronato del reo*.

Una aportación importante de monseñor Rodríguez a nuestro estudio fue una serie de libros sobre derecho canónico, que nos sirvió muchísimo, pues ahí estaba el principio del procedimiento penal que la Iglesia daría a la historia del derecho en España.

Luego se permitió que cada celda acogiera a tres compañeros. De inmediato, Lorenzo Palacios solicitó y logró ser trasladado a la celda que compartíamos Hernández y yo.

Palacios dijo un día:

—He notado que ya sabes mucho del derecho penal de Costa Rica...

Pero ¿de qué me servía si el Tribunal Penal de Cartago no me permitía estudiar el expediente del crimen de la basílica?

—¿Y si yo consiguiera el expediente del crimen de Colima?

—Es igual, Lorenzo, ningún abogado te ha de ayudar...

—Cierto, pero... puedes escribir un libro sobre el crimen de Colima...

Escribir un libro... Sería la idea más ridícula que jamás se nos había ocurrido.

Sonia, la esposa de Palacios, tuvo una segunda idea genial. En el juzgado penal de San José se enteró de que la copia del expediente del *crimen de Colima* tenía un valor de 1 000 pesos.

Al día de hoy es casi imposible explicar a nuestros lectores el significado de esa suma.

—Lorenzo: son todos los pesos del mundo...

El lector entenderá si le cuento que en mis primeros catorce años de prisión, si logré tener en mi bolsillo cien pesos... creo que fue demasiado; pero 1 000, ¡nunca!

Sonia era una mujer que tenía una fe proverbial en su marido. El 23 de diciembre, Palacios había salido de casa ya muy tarde y ese día *él le había reclamado que a su camisa le faltaba un botón.* (Palacios solamente tenía tres camisas.) Días después, un voluntario encontraría en el lugar del crimen un botón y el perito judicial dijo que era el botón proveniente de la camisa de Palacios prueba contundente e irrefutable.

Como prueba judicial, el hecho valía menos que un pito porque esas camisas marca *Atlas* las hacía la fábrica por centenas. Pero para Sonia no había duda: *sabía que, antes de salir de casa, ese botón faltaba en la camisa de su esposo.*

Otro detalle de una veracidad inconmovible fue el siguiente:

—Mi esposo salió de la casa después de las cinco de la tarde.

El crimen de Colima se había cometido a las tres de la tarde, según el examen *post mortem* del médico forense.

Mis respetos por doña Sonia: su idea fue la madre que significó muchos años después una revolución en el sistema penal y procesal de Costa Rica. Ella era práctica y sencilla:

—Puedo rifar un radio cada domingo entre los familiares de los visitantes.

Existía la moda de los radios Zenit, recién llegados a Costa Rica, que tenían un valor de noventa pesos.

—Sonia, ¿cómo vamos a conseguir tal dinero?

La señora se mordió la lengua al principio. Ella tampoco lo había pensado, pero después reflexionó:

—Haré los números del 1 al 100... los venderé en la semana...

—Sonia —observó Palacios—, la lotería se juega el domingo.

—¿Y qué? El lunes muy temprano voy al almacén y compro el radio. ¿Te enteras? A peso el número, cada semana ganaremos diez pesos.

—Diez pesos a la semana, Palacios, durará una eternidad.

Pero no duró una eternidad: convenció al secretario del juzgado penal para que cada semana le diera copias por un valor de 10 pesos... Leyendo y estudiando el expediente del *crimen de Colima*, poco a poco me di cuenta de que el auténtico crimen de Colima era el que los tribunales de justicia habían cometido contra estas tres personas. Basta recordar las palabras de la sentencia citada por la Sala Tercera de lo Penal de la Corte Suprema de Justicia al fallar sobre éste caso, las cuales hemos señalado al inicio de este capítulo.

El expediente ya estaba en nuestras manos, pero los tres inocentes acusados por el crimen de Colima habían recibido una pena de *100 años de prisión: 30 años para Morales, 30 para Hernández y 40 para Palacios.*

En el *Código de Procedimientos Penales* de 1910, con cuyo razonamiento los habían sentenciado, no existía la posibilidad de acudir a una revisión de causa. Era evidente que en la existencia histórica del derecho penal en Costa Rica, ningún reo había ganado con un recurso de revisión.

A una sobrina de Hernández, de nombre Guaria, sus padres le habían regalado una máquina de escribir; después de muchas peticiones, logramos que la máquina ingresara en el penal. Así fue emergiendo el libro. El licenciado Carrera, nuestro asesor, nos dijo que debíamos narrar la historia y después desmenuzar el proceso página a página.

Por su parte, el poeta Barrera decía:

—¿Y qué han de lograr con escribir el libro?

La respuesta era *nada*, pero de todas maneras fuimos escribiéndolo; página a página se iba relatando la historia sobre un *crimen espectacular* ejecutado por los tribunales de justicia de Costa Rica contra tres hombres inocentes. Uno de los acusados, Morales, jamás conoció a los otros implicados, sino hasta el día en que ingresó en la Escuela Militar de Guadalupe.

Terminé de escribir el libro. Lo hacía a mano y un compañero recibía en el pabellón oeste las páginas y las pasaba una a una. No tuvimos problemas con el papel, pues un hermano de Hernández, Francisco, nos enviaba resma tras resma.

Y nació otra idea: *¿por qué no hacer una sinopsis del libro y buscar ayuda fuera del penal?* Una larga carta le llegó al licenciado Antonio Picado Guerrero, el jurisconsulto más famoso de Costa Rica. La carta lastimosa fue firmada por los tres inocentes, también le enviamos una copia de la sentencia. ¡Milagro de milagros! Don Antonio Picado nos respondió y envió una esquela en la cual decía que, *de ser cierta la historia, durante todo el proceso los jueces habían violado la Constitución de Costa Rica y los artículos tales y cuales del derecho penal vigente.*

De inmediato incluimos esos pensamientos.

—Pueden hacer uso de mi nombre, si les place.

Se nos ocurrieron varias ideas: una de ellas fue declarar 1956 como *Año de los inocentes del crimen de Colima*. Luego, un compañero hizo un sello de hule con la suela de un zapato viejo, quedó bonito; desde ese día toda carta que salía del penal iba con esa leyenda, pero esto no duró mucho. Baudrit, el presidente de la Corte Suprema de Justicia, se quejó ante las autoridades penitenciarias, quienes decomisaron el sello.

Debido a un intento de fuga en el que murieron acribillados tres compañeros, los periodistas visitaron el penal. Uno de ellos, don Guillermo Villegas Hofmaister —que trabajaba en *Última Noticia*, periódico vespertino afín de *La República* y con mucha fama—, visitó también el lugar donde estábamos recluidos.

Ni tardo ni perezoso le entregué a Villegas la copia de un ejemplar del libro *Tortura: el crimen de Colima*. El periodista se asombró mucho y le llamó la atención que éste fuera el primer volumen que se escribía en un penal de Costa Rica.

Pasaron semanas y nuestra ansiedad crecía; sin embargo, el jueves 27 de junio de 1957, *Última Noticia* publicó en su primera página:

"Sensacional información sobre el crimen de Colima", y anunció una serie de artículos:

Que, a no dudarlo, causará sensación
en los círculos jurídicos y apasionará
a la opinión pública, por el interés que
pondrá en el asunto la publicación de los
capítulos de un libro inédito, *Tortura*, que
trata sobre este crimen.

La nota periodística agregaba que el caso trataba de un asunto frente a un crimen jurídico. En la edición del día siguiente se anunció:

En nuestra edición del lunes publicaremos un nuevo capítulo
de esta serie, en la cual aparecerán sensacionales revelaciones
hechas en el libro *Tortura,* escrito en la penitenciaría por
uno de nuestros más famosos delincuentes.

Última Noticia empezó a publicar capítulos del texto, los cuales tuvieron una audiencia descomunal. El periódico dobló su edición en la primera semana, pero todavía no decía el nombre del delincuente famoso que lo había escrito.

Todo fue un éxito desde el 27 de junio, cuando apareció el anuncio, hasta el martes 2 de julio del mismo 1957. Posteriormente, un abogado de Cartago se presentó al periódico con un artículo firmado por la señora Adilia de Quiñones, la madre de Gloria Porras, la muchacha masacrada que dio vigencia a la historia y al libro. El artículo decía: "Hay un director espiritual que maneja los resortes en el caso del crimen de Colima..."

Y seguía la noticia de primera plana:

El personaje es el Monstruo de la Basílica de Cartago quien, condenado al presidio para toda su vida, hace su *modus vivendi* haciendo creer a los asesinos de Colima que son inocentes para succionarles sus escasos haberes.

El Monstruo está preparando una obra oscura que se titula *Tortura*... En ella ataca al Cuerpo de Detectives, a la Escuela Militar de Guadalupe y a la Corte Suprema de Justicia.

Ha llegado al extremo de interesar a las facultades de derecho de La Habana, Cuba, y de Buenos Aires, Argentina.

A continuación, en el artículo de la señora madre de Gloria Porras venía una amenaza que nos atemorizó:

...esa obra nefasta y sarmentosa pone en duda a nuestros jueces y denigra a la patria.

La Dirección de la Penitenciaría Central y el Consejo Superior de Defensa Social tomaron —aunque tarde ya— la disposición de aislar en un calabozo a José León Sánchez (el Monstruo) de todo contacto escrito con el mundo exterior.

Bueno: fue el eco de una madre ofendida en lo más hondo de su ser por los capítulos publicados en la obra. Un reo político, el coronel Chávez, quien había recibido una sentencia injusta por el Tribunal de Sanciones Inmediatas, nos ayudó a esconder dos ejemplares del libro.

Por ese mismo tiempo habíamos empezado a hacer un periódico, *El Ideal de un Día*, que también mecanografiamos en la máquina de escribir. Ahí narrábamos algunos aspectos del crimen de Colima.

Estábamos preparados para lo que llegó al día siguiente: Separaron a Hernández y a Palacios. Se buscó la máquina de escribir y fue decomisada, así como un ejemplar del libro. Se me notificó una prohibición total y absoluta de escribir, se clausuró el *periódico* y me trasladaron a una nueva celda: la número 1, ubicada en el pabellón este, donde antes estaba la Chichera. Era una cámara fría con camastros de hierro, un lugar lúgubre, de horror. Ahí iba a pasar incomunicado un largo y espantoso año.[1]

La idea de la dirección fue mantenerme ahí durante un año, sin medios de comunicación, ni libros. A los nueve meses cumplidos me declaré en huelga de hambre.

Una huelga de hambre es terrible. Las estadísticas dicen que de cada millón de personas, solamente existe una con capacidad para resistirla. De no ingerir agua, la persona muere deshidratada en un tiempo de veinte días; pero si la toma, podría vivir un poco más. El hambre después de tres días es incontenible.

El comandante del penal (para esa época de nombre don Rafael) se paró frente a la celda enrejada y mandó colocar humeantes platos de sopa con la orden:

—Se la dan cuando la pida.

Decidí no tomar agua. Era un cuadro aterrador el que empecé a vivir; estaba totalmente desnudo. En la noche y en el día temblaba de frío; pero deseaba morir: no *quería vivir*.

La noticia llegó al periódico *Última Noticia* y dos de sus periodistas, Guillermo Villegas y Manuel Rivera Montoya, iniciaron una lucha en mi favor. Ya para entonces me daban alimentos forzadamente, por medio de una sonda; pero nomás se salía el médico, vomitaba. Al final de ese año *fui perdonado*. Sin embargo, ya nunca nadie volvió a recordar el libro *Tortura: el crimen de Colima*.

Solía ingresar al penal un hombre que padecía una enfermedad incurable: el alcoholismo. En ese tiempo, la *Ley de Vagos y Maleantes* consideraba a los enfermos alcohólicos como gente delictiva y los trataban como tales. Para la sociedad, ser beodo era lo mismo que ser criminal.

Un hombre pequeño, menudo. Ingresaba en el penal orinado y defecado; así y todo, los reos le quitaban la ropa y le tiraban un

[1] Esta celda todavía existe y es la número 1 del lado derecho del Museo Penitenciario en San José. (*N. del E.*)

saco para que se envolviera. Daba desazón verlo después de la borrachera temblando de frío y vomitando. Existía una especie de licor penitenciario: un aguardiente que los reos hacían con pedazos de dulce, tortillas y un puro o una brea de tabaco. Eso se dejaba fermentar y se obtenía un licor que sabía a diablo, pero era una bebida alcohólica.

Nuestro borrachito, que compartía con nosotros la hora de sol, nos suplicaba una ayuda para lograr un trago. En esa época, los alcohólicos eran tratados con tanta crueldad como no es imaginable; y si su visita era frecuente, peor.

Eso sucedía con el nuestro; pero al salir de su ebriedad, cuando se ponía bien y empezaba a descontar la pena de veinte días o un mes que le imponían, se revelaba en él una persona con una extraordinaria habilidad mental. Y, oh, sorpresa de sorpresas: un día nos contó que era *abogado*. Hasta fue alcalde, pero lo suspendieron del Poder Judicial por haber fallado en contra de los campesinos de una hacienda azucarera en Turrialba; también fue eminente miembro del Partido Comunista, donde igualmente lo habían echado. (Eso decía él y nosotros ni le creíamos ni le dejábamos de creer.)

Hablando con él se me ocurrió decirle:

—Sabes, Pocho, yo tengo un libro escrito...

—Un libro, de verdad... ¿dónde está?

—Es que lo tengo escondido... pues está prohibido.

Le di a leer una copia. Me halagaba la forma en que lo leía. Luego logró conseguir un cabo de lápiz y le hacía notas.

Días después tuve que ir a la enfermería y cuando regresé me enteré de que el borrachito Pocho había salido en libertad. Un amigo le había pagado la multa.

Puta, qué tirada, se llevó mi libro.

Ya regresaría, pero por la forma de sus ingresos al penal, di por perdido el libro. Después me enteré que se había ido a vivir a Heredia, de donde era nativo, y que ingresaba en la cárcel de esa ciudad.

Un día, el hermano de Marino Hernández, Francisco, nos trajo una página del periódico *La República*. Ahí estaba la noticia: "Sobre el famoso crimen de Colima, el licenciado don Enrique Benavides ha de publicar un libro de gran interés jurídico-social. Se llama: *El crimen de Colima: un error judicial.*

—¡Qué Pocho más hijodeputa —expresé—, me robó el libro!

—Esperemos, esperemos, puede que eso ayude.

Palacios tenía razón: si Pocho lograba publicar el libro, eso sería muy bueno pues con el nombre del Monstruo de la Basílica la obra jamás ayudaría a nadie.

Hubo dos hechos de los que Pocho nunca se enteró: *a)* teníamos otra copia del libro original, y *b)* muchos de sus capítulos se publicaron en *Última Noticia* bastantes años antes de este momento.

Esperamos con ansias la aparición del libro. El licenciado Enrique Benavides en persona nos lo trajo en una visita. Se veía diferente: estaba ejerciendo el derecho, vestía bien y hasta se había casado de nuevo. Su ex esposa, la famosa pintora doña Margarita Berheau, lo había dejado. Ahora era feliz y...

—Ya no tomo licor... lograré un dinero con el libro y te daré algo.

El libro lo leí de un tirón. Era el mismo volumen: su trabajo fue una labor de copia; pero existía algo en la obra que nos decepcionó: había quitado las frondosas citas de tratadistas famosos y todo el análisis que nos había aportado el licenciado don Antonio Picado Guerrero, famoso jurista de Costa Rica. También suprimió citas obvias que Pocho no podía conocer.

Lo importante, que la obra (*mi obra*) estaba impresa, aunque con otro nombre. Casi hasta nos sentimos agradecidos con Pocho y así se lo manifestamos.

Vinieron las entrevistas de los periódicos. En una de ellas, el licenciado Enrique Benavides se enojó con los hermanos de Marino Hernández porque dijeron que el libro lo había escrito José León Sánchez con otro nombre.

Mi vanidad fue superada. Empecé a tener una enorme fe en la labor de Pocho y de verdad que no nos defraudó. El libro cambió el pensamiento del costarricense. Los intelectuales cerraron brecha alrededor de la obra y de Enrique Benavides. Pasó a ser texto de derecho penal en la Universidad de Costa Rica y en pocos meses se agotaron siete ediciones; sin embargo, Poncho falló en un detalle: nunca nos envió un centavo, que podía habernos ayudado mucho.

El licenciado José Luis Molina, abogado prominente, político y presidente del Congreso Nacional, redactó un proyecto y logró hacerlo ley para que en Costa Rica fuera posible la revisión de causa en derecho penal. Es más: el libro publicado por Enrique Benavides creó una conciencia tal en los medios judiciales que puede decir —sin duda alguna— que apoyó la reforma penal y procesal en Costa Rica en 1971.

Con la publicación del libro, Enrique Benavides no consiguió una declaración de inocencia para Palacios, Morales o Hernández; pero por medio de un perdón logró se otorgara la libertad a los dos últimos.

Fue imposible la libertad de Palacios pero, como ya había cumplido más de la mitad de la pena impuesta (que fue de 40 años), el Consejo de Gobierno lo liberó con la condición de que regresara a su país nativo, Nicaragua.

Debieron transcurrir muchos años más para que el penalista don Gerardo Rojas Solano tomara el expediente y, después de un exhaustivo estudio del libro original, *Tortura: el crimen de Colima*, interpusiera una revisión de causa, consiguiendo lo que nunca pudo hacer Enrique Benavides.

Y pasaron los años y llegaron los años....

Un día, en el programa Cátedra Universitaria de la Universidad Nacional de Costa Rica trasmitido en Canal 13, un periodista me preguntó:

—¿Cómo se llama su primer libro?

—*Tortura: el crimen de Colima.*

El entrevistador lanzó una sonrisa de burla y dijo:

—Pero si ese libro es famoso y lo escribió el jurista y maestro don Enrique Benavides.

A mi vez le devolví la sonrisa y afirmé:

—Pues don Enrique Benavides me lo robó...

El periodista clavó sus ojos al espectador en la cámara y luego me iba a decir algo, pero lo interrumpí:

—Y no borre lo que le he dicho: soy el autor de ese libro y Enrique Benavides me lo robó.

¡Para qué lo dije! Enrique Benavides ya estaba muerto; pero para el periódico *La Nación*, su nombre merece ser declarado Benemérito de la Patria por haber escrito este libro. Es más: se le considera *una obra maestra del periodismo investigativo. ¡Tontería!* Lo único que investigué para hacer el libro fue el expediente.

El Teatro Nacional tiene una cátedra de maestría auspiciada por *La Nación:* se llama *licenciado Enrique Benavides Chaverri.*

¿Cómo podía ser que José León Sánchez, escritor ya de fama pero no abogado, haya escrito una obra maravillosa —*summum cum laude* del derecho penal en Costa Rica—? Al fin y al cabo, Sánchez es un escritor de novelas. De nuevo como antes, el mundo se me vino encima. Periodistas y abogados se sintieron *ofendidísimos*, en especial los abogados Carlos Elizondo Villalón y Eugenia Trejos Lahmann. Ambos recurrieron de oficio a una hija de Benavides, Gloria Benavides Romero, y a la viuda Sonia Romero y les aconsejaron que me entablaran un juicio por *ofensas a un difunto.*

Para la tramitación del juicio se escogió a un jurista notable en Costa Rica: el doctor Francisco Castillo González, conocido en este país como el más preclaro de los estudiosos, como el *penalista de los ricos y famosos.* Había escrito un libro interesantísimo sobre un artículo del derecho penal costarricense en el que se pena *la ofensa a un difunto.*

La obra, *La excepción de verdad en los delitos contra el honor,* ubica en el banquillo de la historia penal el acto de ofender a un difunto dentro de dos vertientes distintas: *¿Puede una persona fallecida ser ofendida por acciones de otra persona viva?*

El doctor Castillo sostiene: "El autor de injuria, difamación u ofensas a la memoria de un difunto no deberá ser punible si probare la verdad de la imputación". Sin embargo, la pintora Sonia Romero y su hija Gloria Benavides me llevaron a los tribunales. La licenciada Eugenia Trejos Lahmann, señalándome con el dedo, dijo: "Este hombre, José León Sánchez, dijo en televisión ser el autor del libro *El crimen de Colima: un error judicial*, y que don Enrique Benavides se lo había robado".

El abogado Carlos Elizondo Villalón declaró con más severidad, pues tenía sus motivos íntimos para acusarme: en el libro, yo había escrito que Víctor Manuel Elizondo, magistrado de la Corte Suprema de Justicia, se había equivocado al dictar una sentencia para toda una vida contra tres hombres inocentes: Palacios, Morales y Hernández. (Elizondo Villalón era nieto del magistrado Elizondo.)

No sé hasta qué punto me tocó en suerte que esta causa fuera juzgada por la juez quinta de lo penal Iris Navarrete, pues fue alumna de Enrique Benavides y también, en la Facultad de Derecho, discípula del penalista acusador doctor Castillo González.

Elizondo Villalón repitió más o menos lo mismo que expresó la licenciada Eugenia Trejos Lahmann: "El señor Sánchez dijo en televisión haber escrito el libro que publicó el licenciado Benavides con su nombre y afirmó que don Enrique se lo había robado".

Llegó el momento en que la jueza Iris Navarrete llamó a una cita de conciliación entre las partes.

Expresé a Sonia Romero, viuda de Benavides, que perdonara mi palabra *robar*, que no era cierta, y que no siguiera adelante con el juicio, pues yo tenía sobradas pruebas para ser declarado inocente. Sonia Romero guardó silencio.

La juez Iris Navarrete me dio la palabra y dije:

—No es cierto que don Enrique Benavides me *robó* el original del libro, más bien: *yo se lo presté*. Y no puedo retractarme, pues por haber escrito ese libro se me aisló en una celda de castigo durante un año. Usted, señora jueza Iris Navarrete, tiene el documento que lo prueba, firmado por la madre de Gloria Porras, doña Adilia Quiñones. También, señora jueza, tiene documentos muy serios en el juzgado que ha aportado mi abogado, el licenciado Wilfredo Mejía Chanto, donde está la prueba de que ese libro fue publicado por capítulos en un periódico llamado *Última Noticia.*

La juez Iris Navarrete posó su mirada en el doctor Castillo, el abogado acusador, y agregué:

—Es un libro muy mal escrito, señora jueza, con la redacción propia de un principiante. Y he de agregar: si vengo ante este tribunal a decir que el libro publicado por don Enrique Benavides es mío y si lo que expreso es mentira, usted debería enviarme al asilo para locos y no a la penitenciaría del sur, como lo ha pedido el abogado don Francisco Castillo González.

No hubo reconciliación: el abogado Castillo y la hija de Benavides deseaban que me retractara de la autoría sobre el libro. Al final del debate, después de muchos meses, el doctor Castillo González manifestó: "Es cierto que José León Sánchez escribió un libro llamado *Tortura: el crimen de Colima,* pero a mí no me cabe duda de que lo perdió, y ésa es la razón por la que ha venido a decir en este tribunal que don Enrique Benavides se lo robó".

En la última palabra, el doctor Castillo estaba *mintiendo* ante el tribunal, pues yo había declarado que don Enrique no me *robó* el libro, sino que se lo había prestado. El abogado acusador terminaba solicitando que a José León Sánchez se le enviara de nuevo a la penitenciaría de donde había salido hacía tantos años y que, además, se le impusiera una reparación del daño millonaria.

Ahora, en este acto, toda la belleza y sabiduría que el doctor Castillo González había mostrado en su obra *La excepción de verdad en los delitos contra el honor* las arrojaba a la basura cuando solicitaba prisión para un escritor que él sabía era inocente.

Los periodistas declararon en mi favor: ellos habían publicado el libro en capítulos. Y estaba ahí un testigo de oro, de cuya verdad era imposible dudar: Marino Hernández Ruiz, quien dijo:

—José León escribió ese libro.

En la sentencia 70-1990 dictada en el Juzgado Quinto de lo Penal, que presidía la jueza Iris Navarrete dio como

...

2) Que José León Sánchez sí escribió un libro denominado *Tortura*, el cual tardó un año en escribir en la Penitenciaría Central.

3) Que José León Sánchez entregó entre 400 o 500 páginas escritas de una novela (*Tortura: el crimen de Colima*) al periodista Manuel Rivera Montoya, director de *Última Noticia*.

4) Que a raíz de la publicación de los artículos en *Última Noticia*, la madre de la ofendida, que murió en Colima, publicara un artículo donde dice que todo es orquestado por José León Sánchez.

La señora jueza quinto de lo Penal —en su sentencia de la culpabilidad de José León Sánchez— no pudo evitar dar una opinión comparativa entre la obra de éste, y el libro publicado muchos años después por el licenciado Enrique Benavides. Para acentuar que no es la misma obra, se refiere a ella con las consideraciones siguientes:

Una novela —que fue lo que escribió Sánchez— no puede ser plagiada para convertirla en un ensayo, porque eso carecería de sentido y es evidente que *El crimen de Colima: un error judicial,* de don Enrique Benavides, no puede refutarse como novela, ni se le dio tal tratamiento, pues en ese libro no existe trama, ni hay personajes ficticios, ni elemento alguno propio de tal género literario.

Por supuesto que las transcripciones de las declaraciones son idénticas tanto en el libro de don Enrique Benavides como en los artículos publicados, aunque sólo en parte, pero no podía ser de otro modo, porque esas declaraciones no se podían cambiar sin faltar a una verdad que consta en un expediente judicial.

Al finalizar la redacción de la sentencia, la jueza quinto de lo Penal, doña Iris Navarrete (orgullosa de estar dictando una sentencia para la historia y sin detenerse a evaluar el metalenguaje idéntico en ambos libros con sus comas, puntos y falta de conocimiento del idioma), alude a la defensa magistralmente presentada por el licenciado Wilfredo Mejía Chanto. Ella da la razón al abogado defensor cuando alega que "los hijos no heredan el honor de los padres, como tampoco heredan el deshonor". Las honras de un Premio Nobel de Literatura no alcanzan para engrandecer a sus hijos. Los malditos actos de un asesino ajusticiado en la silla eléctrica no envilecen la vida de sus descendientes.

La jueza quinto Iris Navarrete añade:

Ello es así porque el honor no es un bien material que pueda administrarse y en lo único que lleva razón el licenciado Wilfredo Mejía Chanto es en que los muertos no tienen honor, porque es evidente que no son sujetos de derechos ni de deberes, ni les hace falta el honor para nada.

La administradora de justicia tenía empeño en llevar a cabo un juicio que hiciera historia. Lo ha logrado: es el primer juicio sobre un tema literario en Costa Rica, el primer caso que termina en sentencia condenatoria contra un escritor por haber probado que escribió un libro polémico.

Sin embargo, queda una pregunta ante la historia de los juicios en Costa Rica: *si don Enrique Benavides, por estar muerto, no tiene honor (según lo declara en sentencia la licenciada Iris Navarrete)*, ¿cómo hizo para declarar culpable a José León Sánchez, enviarlo a la Penitenciaría del Sur por ofensas a un difunto y ordenar que debe pagar una reparación económica a la familia Benavides tan desproporcionada en dinero que, a razón de 300 pesos al día como lo establece su sentencia del tribunal, *necesita más de 11 años de presidio para cubrirla?*

Tortura: el crimen de Colima *no fue nunca un ensayo, ni una novela, como lo definió la jueza Navarrete. Fue un documento humano, una obra testimonial, la primera en la literatura de Costa Rica.*

Como lo pidieron el doctor Castillo González, la pintora Sonia Romero y la licenciada Gloria Benavides Romero, y también fue el anhelo de Eugenia Trejos Lahmann y Carlos Elizondo Villalón, salí del tribunal sentenciado y con el pensamiento constreñido sobre la aplicación de la justicia en Costa Rica.

De nuevo uní mis manos con humildad para que se me encadenara y fuera llevado hasta la prisión por un delito del que era inocente.

La historia literaria también debe recordar a una gran esposa, una enorme mujer, extraordinaria compañera de Lorenzo Palacios: doña Sonia Sandí, quien sufrió enormemente cuando dos de sus hijos murieron de leucemia y hambre *en un mismo día*. Ella rogó a Dios que se hiciera una luz en la vida de su esposo, y apretó la fe en su corazón por más de veinte años que aquél pasó en prisión.

Ella —no Enrique Benavides o José León Sánchez— es la única y verdadera heroína en todo este drama de horror que, se espera, no se repita nunca más en Costa Rica.

Un amigo y hermano, el doctor Raúl Blanch Carrizo, hace tiempo quería facilitarme a su abogado para que interpusiera una revisión de causa contra la sentencia que me impuso la jueza Iris Navarrete. Sin embargo, acudir hoy a la Sala Tercera de lo Penal de la Corte Suprema de Justicia en busca de una revisión que me declare inocente ya no tiene caso. Prefiero que la historia cuente cómo se me encerró en un calabozo y, muchos años después, una jueza me envió a prisión por haber escrito un libro en pro de la justicia, la verdad, la tradición, el bien, la abolición de la tortura y el horror en los penales de Costa Rica. Y para que nunca (es una oración) un hijo o invitado en este país tenga que sufrir lo que nosotros hemos sufrido.[2]

---

[2] *Tortura: el crimen de Colima* vio la luz después de la sentencia de la jueza Iris Navarrete y hoy está en las librerías de América bajo la firma de José León Sánchez.

14. La ley fuga

Imposible tener suerte con el juez penal de Cartago, pues entre él y yo había una especie de guerra jurídica:

—Señor juez, tengo derecho a contar con una defensa total... soy inocente, usted debe ampararme para probar mi inocencia.

—Usted no tiene los derechos que alega.

Y el juez se veía muy amparado, pues una y otra vez la Sala Segunda de lo Penal de la Corte Suprema de Justicia le daba la razón:

—El reo que se defiende por sí mismo no posee todos los derechos de un abogado defensor.

En la década de los cincuenta existía en el derecho penal un fundamento inconmovible: *la confesión es la máxima de todas las pruebas*. "A confesión de parte, relevo de pruebas", rezaba un aforismo. Y se tenía la confesión como la reina de las pruebas.

La forma y medios para lograr la confesión no importaban. Que el confesante dijera una mentira, carecía de importancia. Una y otra vez, el juez salía a criticarme, incluso por la prensa. Un día dijo:

—Han pasado meses, se le han hecho notificaciones y el reo Sánchez no ha dado ni media respuesta. ¿Es que no quiere defenderse?

En declaraciones a los periódicos, afirmaba una y otra vez que el reo Sánchez merecía pena perpetua. No lo había inventado él, sino que lo clamaba el pueblo de Costa Rica.

128

Recuerdo que un día le envié una carta. Según la ley, el reo tenía derecho a quejarse ante el juez cuando éste hacía la visita semanal a la penitenciaría; sin embargo, el juez de Cartago nunca cumplió con esa obligación. En la misma expresaba que estaba sufriendo en forma desproporcionada la *medida de seguridad* del *Código de Procedimientos Penales* en su artículo 335, que autorizaba al comandante del penal poner al reo grilletes y cadenas y mermarle las horas de sol.

El 1 de octubre de 1953 le decía al juez que ya era tiempo de ordenar el cese de la detención incomunicado dentro de un calabozo. Asimismo, le recordaba que, según la ley, una incomunicación debe durar como máximo diez días. En la queja narraba que a veces pasaba un mes, dos o tres en ese calabozo tan lleno de oscuridad, y que no me daban la hora de sol.

Una vez más describía la mazmorra donde me encontraba: *dos metros de ancho por dos metros y medio de largo. Nada de cama donde dormir. El aire y un rayo de luz ingresaban por un hoyuelo en la puerta de hierro, no más grande que una moneda de dos pesos. Dentro del calabozo estaba la mitad de una lata de manteca para hacer las necesidades fisiológicas. Mi tiempo en cada día lo pasaba dando pasos de un lugar a otro y de pared a pared, múltiples veces.*

—Señor juez, ya tengo años de estar así.

El señor juez penal de Cartago respondió el doce de septiembre de 1953, dirigiéndose al señor comandante del penal de forma más que escueta:

—Si el comportamiento del reo José León Sánchez lo permite, debe dársele una hora de sol cada día.

Siempre me pareció irónica la respuesta: *dentro del calabozo por tantos años ¿podía tener un comportamiento diferente al de dar mil vueltas en un mismo lugar?*

Al final de casi cuatro años de calabozo, el juez penal de Cartago dio respuesta a mis solicitudes:

—Señor juez, yo, José León Sánchez, defensor de José León Sánchez en concordancia con los artículos 269 y 273 del *Código de Procedimientos Penales*, pido audiencia ante usted para poder ver, leer y estudiar el expediente del crimen de la basílica, hecho por el que he estado preso bajo tortura permanente durante muchos años, siendo inocente. En caso de negación, solicito apelación subsidiaria ante la Sala Segunda de lo Penal de la Corte Suprema de Justicia.

Cien veces había enviado la misma solicitud. Siempre que tenía a mano un lápiz lo hacía. A veces lograba un pliego de oficio, pero en otras oportunidades buscaba en el patio una cajetilla de cigarrillos y ahí redactaba el mensaje al juez.

La respuesta siempre era la misma: *la petición es ilegal, la ley no lo permite, el reo no tiene los mismos derechos que los de un abogado defensor.* Pero —milagro de los milagros—, después de cuatro años, el 26 de noviembre de 1954 el juez penal de Cartago acccedió a que estudiara el expediente.

En la hora del sol tenía un compañero apodado Pipián, de oficio joyero. Se me acercó y, casi en una habladilla de secreto, con miedo, me dijo:

—Cuando era niño trabajé años en la joyería de los hermanos Valle Guzmán y quiero narrarte algo...

La confidencia del joyero me dejó intrigado. En más de tres siglos, la fe del pueblo de Costa Rica hizo posible la donación de joyas para la Virgen de los Ángeles de Cartago, las cuales han llegado al altar de la Basílica de los Ángeles en varias formas, dos de ellas muy conocidas: por las vías testamentarias y como agradecimiento. Por eso, la leyenda ha acumulado la versión de que tales joyas valen millones de dólares.

Con el paso del tiempo, a veces las joyas se pierden. En alguna ocasión sus guardianes religiosos, políticos de turno y hombres de guerra por la ambición acuden a las arcas de las iglesias y las despojan. La historia dice que Nuestra Señora la Virgen de Ujarrás, que fue la primera patrona sagrada de Costa Rica, padeció uno de esos despojos. Existe un libro en el que, por años y años, se fueron anotando las joyas donadas. Actualmente, la corona de la Virgen y el manto lleno de joyas han desaparecido y solamente queda un libro viejo atacado por las polillas, en el que se habla de diamantes, brillantes, ágatas, crisoberilos y rubíes.

El señor juez de Cartago me hizo la señal de que me sentara frente a él. Me observaba con odio, lanzó una mirada furtiva a mis manos para asegurarse de que ahí estaban los grilletes y se sintió mejor.

—Gracias, señor juez, por haberme permitido llegar hasta su oficina.

Tenía prisa y deseaba evacuar mi consulta verbal para ir a dirimir un juicio.

—Señor juez, antes de tener la oportunidad de estudiar el expediente, le ruego que me facilite una pluma, tinta y papel porque es mi anhelo hacerle una solicitud.

El juez hizo un ademán al señor secretario y éste tomó dos hojas de papel; ya iba a extendérmelas cuando el señor juez preguntó:

—¿Podría usted decirme cuál es la solicitud que me ha de hacer?

Casi puedo afirmar que su pregunta tenía visos de amabilidad:

—Sí, señor... como defensor de José León Sánchez, según el artículo 273 del *Código de Procedimientos Penales*, tengo el derecho a revisar todas las pruebas en pro y en contra que existan en el expediente, ya sea que me favorezcan o que me perjudiquen. Existe un peritaje sobre el robo de las joyas de la Virgen de los Ángeles donde se dice que valen millones de dólares. Los hijos del señor Del Valle han manifestado que en 1920 y en 1938 su padre el joyero, quien confeccionó el manto de la Virgen, manifestó que muchas de esas joyas eran de fantasía...

El señor juez me observó con gran sorpresa y agregué:

—Claro que no es cierto. Tengo la intuición que todas las joyas de la Virgen de los Ángeles son legítimas... pero sería para usted de gran satisfacción mandar hacer un nuevo peritaje que revele cómo en verdad lo que se llama joyas no son simples vidrios...

Y añadí:

—De conformidad con el artículo 273 del *Código de Procedimientos Penales,* he de solicitar un peritaje imparcial.

Los ojos del señor juez cambiaron como si una llama los hubiera encendido. En un ademán detuvo el gesto del señor secretario, quien me iba a entregar tinta, pluma y papel, y dijo:

—Ya es tarde y tengo un juicio; lo mandaré traer mañana para que haga la solicitud del peritaje.

Regresé al calabozo del penal de Cartago con una espinita. El secretario, don Guillermo Castillo, fue sorprendido por el gesto del juez, quien prácticamente le arrebató los dos pliegos de papel que me estaba dando. Fue una sorpresa, pues no duraría más de cinco minutos en hacer esa solicitud para un nuevo peritazgo. Tanto más que el señor juez sabía de esas manifestaciones de los hermanos joyeros Del Valle, pues él mismo les había tomado declaración como testigos.

Regresé al calabozo del penal de Cartago. Los cerrojos se cerraron con fuerza. Escuché cómo el guardián acercaba el banquillo, ya que era su deber estar sentado fuera del calabozo; en lo alto de éste había un bombillo. Cuando pasaba un carro frente al penal, el bombillo parpadeaba y se apagaba para encenderse después. Las paredes estaban recién pintadas con cal.

Y bueno, me puse como siempre a caminar, a hacer los eternos ejercicios del reo. También pensaba que al día siguiente pediría al señor juez más papel para tomar citas. En mis adentros estaba lleno de euforia. Ya iba a tener la oportunidad de hacer un estudio del proceso. En mi mente tenía la seguridad total: *saldré libre, declarado inocente, si me dan la oportunidad de defenderme.*

Tenía muchas ideas para ganar. En todo el juicio nadie se había presentado para decir: "José León es el bandido, tenemos pruebas!" No se me había decomisado una joya, un objeto que proviniese del robo en la basílica. Nadie —*absolutamente nadie*— había aportado una prueba en mi contra. ¡Solamente estaba mi declaración, lograda a fuerza de torturas! De ahí que no dudara que al fin iba a lograr mi defensa y tendría la oportunidad de estudiar el expediente. "Mañana —repetía— seré un hombre libre". Difícilmente puedo olvidar esa fecha: *29 de noviembre de 1954.*

En mitad del encierro no podía saber lo que vendría en algunas horas ni que mañana los periódicos y noticieros arderían con el nombre del Monstruo de la Basílica.

Mañana sería acribillado de *boletines.* Mañana el presidente de la República daría las directrices contra José León Sánchez: *vivo o muerto.* Mañana sería un día de odio.

La celda estaba oscura cuando de un momento a otro (serían las ocho de la noche) se abrió la pesada puerta de hierro.

—Está bien, puede irse.

Era la orden que recibía el celador, quien durante todo el día había estado sentado al otro lado de la puerta. La luz de la bombilla se encendió e ingresó un hombre corpulento.

—Soy el teniente Valenciano de Grecia.

Se sentó en el suelo como lo estaba yo, con las piernas cruzadas.

—Le he traído esto de La Floresta.

La Floresta era una cafetería famosa en Cartago. Y... ¡luz de luz! Tenía en mis manos el sandwich de carne con cebolla, tomate y pepinos que no había visto en muchos años y también un termo con café.

—Bueno, José León, ¿cómo están las cosas?

No entendí...

—El juicio, ¿cómo va el juicio?

—Así, así, medio regular...

—¿Todavía no ha encontrado defensor?

—Estoy haciendo mi propia defensa.

—¿Y...?

—Creo que he de salir libre.

El teniente esbozó una media sonrisa. Se levantó y se aseguró de que el guardián de verdad hubiera dejado su puesto. Estábamos solos y entre nosotros el café con leche, delicioso.

Cuando se ha pasado hambre durante muchos años, un regalo como éste vale como si de repente te dieran una estrella.

—¿Cuál me dijo que es su nombre?

—Abel Valenciano de Grecia, del Bajo de la Pulga...

—En Grecia conocí un Abel Vega, zapatero, hombre vergón y corajudo; le decían Pinga de Oro... era del Bajo de la Pulga.

—Hum, lo conozco, tenía un rosario de hijas muy lindas...

Una pausa. El café estaba calentito, como recién chorreado.

—Este... ejem... mire, José León... hum... bueno, pues en muchos años he admirado... hemos admirado su lucha... Sí, sí, lo hemos admirado y yo...

—¿Cómo me dijo que se llama?

—Abel Valenciano.

—¿Teniente?

—Sí, teniente, egresado de la Escuela Militar de Guadalupe.

—Sí, del Bajo de la Pulga... allá en Grecia.

—...y no me pregunte por qué... locuras de uno... somos un grupo de oficiales jóvenes y... bueno, hemos decidido ayudarle... Tome, tome cafecito... ¿está bueno, verdad?

La verdad es que estaba sintiendo que el cafecito se me atoraba en el esófago...

—Hemos decidido ayudarlo... a escapar... esta noche de aquí...

—Una fuga, esta noche... esta noche...

—Esta noche.

—Teniente... este, yo... creo que...

—No tiene que creer nada porque... puede ser que mañana usted esté muerto...

Un escalofrío me recorrió todo el cuerpo.

—¿Muerto...? ¿Por qué?

—No se haga, usted sabe... usted sabe... usted sabe...

—No sé... no sé...

—No tiemble... soy su amigo... es extraño... pero soy su amigo...

—Sí, sí, yo lo sé, usted es mi amigo...

—Ah, bueno, ánimo, así es mejor... tome el cafecito y escuche... escuche con atención.

—Escucho, escucho...

—A las doce en punto de la noche se apagará la luz en toda la ciudad de Cartago... Recuerde... *a las doce de la noche*. Exacto, medianoche. La puerta de este calabozo se abrirá a esa hora... Salga a la derecha, camine por el pasillo frente a la sala del guardia... Pase rápido, cruce más allá del umbral... Existe una puerta de hierro... estará abierta... al frente hay un solar de una casa con sembradíos de café... Ahí lo estaré esperando para llevarlo lejos de Cartago, hasta la frontera...

—¿Hasta la frontera?

—A las tres de la tarde estaremos en la frontera... ánimo, lo espero a medianoche.

—Sí, sí, es que... ¿cómo me dijo que es su nombre?

—Abel Valenciano... teniente... de Grecia...

—¿Del Bajo de la Pulga?

—Sí, de Grecia...

El teniente Valenciano salió y escuché el cloc cloc de la barra de hierro que cerraba la puerta. Un instante después oí cómo el guardián acercaba una silla y pronto el humo del cigarrillo inundó las rendijas de mi calabozo.

La luz del bombillo en el centro del cielorraso se apagó. Me acerqué a la puerta. Escuchaba el resoplido del guardián que inhalaba su cigarro... De vez en cuando emitía una tosidura carrasposa y otra vez inhalaba el cigarro. También escuché el sonido de su aliento; tenía la espalda pegada a la puerta de hierro. Teniente Valenciano... teniente Valenciano... de allá de Grecia, del Bajo de la Pulga, el lugar donde vive don Abel Vega, a quien el populacho le dice Pinga de Oro porque solamente engendra muchachas de color oro, de color trigo, de piel de terciopelo... famoso el don Abel... cada vez que da un brinco sobre la panza de doña Adelita, saz... le deja una de esas muchachas.

Tonterías... desvariaba... El asunto no era para desvariar... Me dijo también que mañana... *puede que estuviera muerto*. El plan era chusco... Sencillamente se me quería aplicar la ley fuga... En mitad de una noche, al reo lo dejan salir libre... en una esquina de calle, más allá de un muro... y luego lo acribillan y alegan intento de fuga. ¡Y ya! La noticia no pasa a más. En la penitenciaría y en San Lucas ha sucedido muchas veces... En tiempos de *los coroneles* del general Figueres lo mismo habían hecho, con los asesinados en el Codo del Diablo... Detuvieron la locomotora en la vuelta de este sitio... todos eran reos comunistas y los acribillaron... Así era, así sucedió. Tenía ganas de defecar y de orinar. Los años me temblaban porque ya me sentía muerto. El asunto no era para broma... pero ¿por qué?, ¿qué los había llevado a tomar semejante decisión? Y qué chusco, señor, qué chusco. ¡La persona necesita ser muy idiota para no entender la trampa! Era muy evidente. El plan del teniente Valenciano también era idiota... ¿de verdad era idiota? No, no idiota: me había dado a escoger... y tenía que escoger... no había alternativa...

Y... ¿si me fingía el dormido?, ¿si no hacía caso...? Igual llegarían después de las doce... me sacarían arrastrando y lo mismo quedaría acribillado cerca del solar del cafetal. Tenía miedo... de verdad tenía miedo... Un sudor frío me recorría todo el cuerpo. De nuevo me dieron ganas de ir al baño, ganas de orinar... Señor, ¿qué hacer?

En San Lucas había arrostrado la muerte... En la penitenciaría contaba con siete intentos de fuga y en una de ellas hasta vestido de mujer se me capturó en la mera puerta... En otro intento la metralla me había desgarrado el pecho... También después de la historia del regalo me había destrozado las venas... tenía mucho valor para las fugas... se puede decir que *audacia*, y por la libertad estaba dispuesto a todo... pero este asunto era distinto... diferente... El teniente Valenciano, el del Bajo de la Pulga de Grecia, no se había andado por las ramas. Me había presentado un plan, su plan, y yo *tenía que cumplirlo o cumplirlo*.

Por allá sonaba un radio... una canción mexicana saltaba sobre las paredes:

eres como una espinita
como una espinita
que se me ha clavado en el corazón...

Después se inició el programa de Monge del Valle... Un locutor con voz melodiosa que amaba la poesía. *Música y poesía*, algo así se llamaba el programa en Radio City...

Acerqué mi oído a la puerta y me extrañó no escuchar el pausado respiro del guardián. Al rato oí que lentamente, casi en silencio, se descorría el aldabón de la puerta... Noté cómo caía el cerrojo y luego escuché pasos que se iban.

Las campanas de la Basílica de los Ángeles dieron una a una todas las campanadas de las 11... las 11... las 11...

Hubiera querido que las campanas siguieran tocando... que no dejaran nunca de dar las 11... Ya no eran más las 11. Esa noche, nunca más el reloj de la iglesia daría 11 campanadas... ahora vendrían las 12...

Sobre la celda donde estaba existía un fortín... momentos después sentí los pasos del centinela... no había duda: los pasos no subían... bajaban... Hice oído... Sí, no estaba subiendo. Cuando subía, los pasos se iniciaban a ras del corredor y se iban alejando hacia arriba... ahora los pasos bajaban... y luego un toque duro... de seguro era el rifle máuser cuando llegó a la última grada... Después, todo de nuevo en silencio.

El reloj de la iglesia dio una campanada... Puta... solamente una campanada, nada más que una. Faltaba media hora para las 12 de la noche...

La verdad: sentía terror... Claro que no iba a salir, jamás, ni estúpido que fuera. Que vinieran por mí después de las doce... gritaría, todo el mundo se daría cuenta... Sí, sí, iba a gritar, lucharía.

¿Lucharía? Allá en la penitenciaría, en mitad de la hora del rancho, el sargento Gabeto disparó contra la cabeza de Mostacilla. Disparó su ametralladora y ya. La sangre y los sesos se desparramaron sobre la olla de los frijoles... el caldo negro se tiñó de rojo... Y ¿qué pasó?

—¡Coman cerdos, coman...!

Se limpió la sangre de las paredes y sobre el piso se echó aserrín. Y ¿qué pasó? Nada.

Entonces, ¿quién me iba a ayudar?, ¿a quién le importaría que en la noche ajusticiaran al Monstruo de la Basílica...?

Temblaba, me temblaba hasta el cabello rapado... los ojos me ardían... Ah, si al menos fuera religioso podría orar... pero ni esa costumbre tenía.

Solamente existía una verdad: estaba solo, estaba solo... con más soledad que nunca...

Tenía que hacer algo y ya... ¿Si gritaba antes de tiempo?, ¿si no esperaba a las 12...? Fue una idea brillante... *no esperar a las 12...*

De inmediato el cerebro, con una premura de milenium, se dio a trabajar con la idea... Las direcciones fueron exactas: al final del pasillo... la puerta de hierro... todo estaría oscuro. Todo oscuridad... yo saldría por ahí y luego al solar del frente...

Con sumo cuidado empujé la puerta. No sonó... el pasillo estaba desierto... Miré la escalera que llevaba al fortín...

Regresé a la celda. Tenía una sábana y la partí al medio haciendo una trenza... Una trenza y nudos... como quince...

Lo que estaba viviendo era ilógico... pero ¿cuándo la lógica nos ha llevado al triunfo con una verdad indudable?

El teniente Valenciano lo tenía planeado todo... todo... No sé si él creía en lo que me había dicho, en el consejo que me dio... pero, en todo caso, no necesitaba creer: recibió una orden... ¡y ya!

Lentamente salí a rastras como un gusano... allá a la izquierda estaba el pasillo... tenía que seguirlo. No lo hice, sino que crucé a la derecha, con rumbo al este. Había un riel que cruzaba debajo del fortín... Éste no tenía centinela. Había una media luz sobre el tejado... allá, al oriente, también se miraba el segundo fortín y no tenía guardián... Até la cuerda a una viga de hierro que daba sostén, y la idea era columpiarme en *el instante del instante...*

Al otro lado existía una verja... Sabía que no podía hacerlo ahora con la luz, pues me detectarían... pero también entendí que no podía fallar... si fallaba, estaba muerto.

Lo había visto en las películas de Tarzán... y, bueno, también podría hacerlo. En ese instante, el reloj de la Basílica empezó a dar las campanadas... una... dos... tres... siete... ocho... nueve...

138

diez... once... y la última campanada sentí que duró una eternidad. ¡doce!

La ciudad se quedó sin luz. Me lancé en picada como si fuera lo último que haría en la vida. Llegué a una canoa, atravesé unos barrotes en lo alto del penal y siempre a rastras alcancé la tapia, la cual medía diez metros de altura, pero eso no era problema. En la penitenciaría, durante muchos años había realizado el sabio ejercicio de brincar en una forma tal que el tendón de Aquiles no sufriera...

Salté desde los diez metros de alto, orillado a la muralla del cuartel, y atravesé la calle para llegar hasta un cafetal... Era todo lo contrario al lugar donde se me estaba esperando...

Corrí de un cafetal a otro sin rumbo cierto. La luz de la ciudad regresó y escuché un disparo y luego respondió una ráfaga de ametralladora. Después hubo silencio, solamente silencio. Jamás fue tan silencioso como el de esa noche.

A las cinco de la mañana, los guardianes dieron la noticia de la fuga... y las campanas de todas las iglesias empezaron a tocar al rebato como si fuera un Viernes Santo.

La historia de los periódicos citaba la huida al día siguiente: la llamaban *la fuga audaz*. Decía lo mucho que me había ayudado un tubo. Los periodistas afirmaban que en el suelo del calabozo se encontró la Biblia que leía José León Sánchez, en una de cuyas páginas había escrito:

Hoy, mañana y siempre
que cuando el día vuelva
me encuentre con la alegría de la
libertad en el rostro
y muy adentro del corazón.

Era cierto, eso lo escribí sobre una página en blanco de la Biblia hacía muchos años. Y puede que esa noche hubiera pensado en Dios... para que el astrágalo no me fallara, como tantos otros reos que terminaron inválidos al pie de las murallas...

Las fotografías mostraban la acción de la fuga una a una, y también se publicaba la circular enviada a jefes políticos y agentes principales de la policía de todo el país para que capturaran a José León Sánchez a como diera lugar... a como diera lugar...

El silencio del amanecer fue interrumpido por una llovizna y a las cuatro de la mañana el aguacero ya era terrible. Entretanto, yo seguía corriendo y corriendo con rumbo al sur de la ciudad de Cartago...

Recuerdo —lo recuerdo— que a las nueve de la mañana cesó de llover. Las nubes se marcharon. La mañana fue como un nido de oropéndolas que agita el viento.

Y allá arriba empecé a notar, sobre los predios aledaños a la ciudad, distintos grupos de gente que iban por los caminos, por los trillos. Tenían un distintivo: sus machetes brillaban al sol... buscaban debajo de las piedras... entre los arbustos... por todos lados.

Algún día tengo que dar gracias a los dioses por no haberme topado con esos campesinos quienes, guiados por la fe y el odio, hurgaban los montes en busca del Monstruo de la Basílica.

15. "Él fue: yo lo vi..."

La fuga de la cárcel de Cartago activó el histerismo nacional. Periodistas de radio, prensa y los sacerdotes desde el púlpito exaltaban los ánimos de cada costarricense con un objetivo: *la captura de José León Sánchez.*

A un héroe de la Guerra de 1948 llamado Muñeco Araya, vecino de Desamparados de San José y diestro piloto, se le ocurrió colaborar en una idea peregrina pero utilísima: con su avioneta, volando bajo sobre casi todos los caseríos de Costa Rica, dejaba caer un volante elaborado en la Imprenta Nacional. Miles y miles de ellos se dejaban caer en el centro de las plazas y en los mercados. Tenían una redacción bastante especial y, cosa curiosa, era casi idéntica al que se repartió profusamente cuando huí del penal de San Lucas.

El volante era un reto a la ambición y al odio:

Diez mil pesos de recompensa por el Monstruo de la Basílica, José León Sánchez.

El más horrendo y macabro delincuente se fugó del presidio de San Lucas en la madrugada de ayer.

Se presume que lo estaba esperando un bote y que contó con ayuda, dadas las medidas de seguridad a las que se le tenía sometido.

Señas: mide 1.68 metros, moreno, de ojos café, medio indio, tiene una cicatriz debajo de la mejilla izquierda y otra en el pecho al lado del corazón. Pelo crespo, negro, no fuma ni bebe licor y usa anteojos de aros negros.

141

Si lo ve, ¡denúncielo! Por su captura y entrega a la policía, vivo o muerto, se dará una recompensa de 10 000 pesos.

Es un criminal de gran peligrosidad y se supone que anda armado. Está calificado como un delincuente psicópata, macabro y de altísima peligrosidad.

El 26 de enero de 1955 —dos meses después de la fuga—, el juez penal de Cartago recibía un telegrama en el cual se le comunicaba que José León Sánchez había sido capturado y *que está a su orden en la sala de emergencias del hospital San Juan de Dios*.

Al juez no se le decía que cuando fui descubierto en una montaña de Río Cuarto, la patrulla me acribilló a balazos sin darme tiempo siquiera de levantar las manos para manifestar rendición.

Había llegado muerto de hambre al hogar de mi prima Mireya Arce. Su esposo Raúl, su hijo y un sobrino de nombre Freddy, jugándose la libertad y la vida, me habían llevado en un viejo auto hasta San Carlos y desde ahí me interné en las montañas de Cucaracho de Río Cuarto, cerca de donde el río desemboca en el Toro Amarillo.

El volante con la oferta de 10 000 pesos (toda una fortuna para esa época) hizo que redes de voluntarios peinaran los caminos, las montañas y los pueblos.

Vivía escondido en un rancho que tenía mi hermana Oralia allá en la montaña. Recuerdo esa mañana, cuando los patos empezaron a subir en bandadas, señal de que río abajo alguien venía y los había espantado. De un momento a otro vi a un grupo de gente que me apuntaba con armas a una distancia de ocho metros, en el linde mismo de la socola donde mi cuñado Mancho estaba sembrando maíz. Y después ya no recuerdo nada.

Luego me informarían que, después de haber disparado, quienes me encontraron descubrieron que aún vivía. Improvisaron unas parihuelas con madera de caobilla, y durante tres días los guardias civiles me cargaron al hombro por zoampos y lolillales, cruzando ríos y extensas montañas, hasta llevarme al hospital San Juan de Dios.

Tenía heridas graves y sentía mucho dolor. En el trayecto pasaba horas inconsciente, y debo reconocer que los guardias que me capturaron estaban como *arrepentidillos* de haber disparado.

A veces había disputas entre ellos acerca de cuál me había herido pues, según cálculos, ése iba a recibir los diez mil pesos de la recompensa. El sargento Montoya, quien formaba parte de la patrulla, dijo que *el dinero sería para todos.*

La desesperación y el dolor eran a veces insoportables y perdía de nuevo el conocimiento. Los guardias temían que muriera en el camino.

Había regresado al calabozo número 1 del pabellón norte de la penitenciaría. Aún no me recuperaba de las heridas, todas ellas más abajo del vientre; una de las balas me destrozó parte del fémur de la pierna izquierda.

El pabellón norte estaba lleno de gente extraña: eran los insurrectos del intento de contrarrevolución de enero en 1955 quienes, al frente del doctor Calderón Guardia, intentaron derrocar al gobierno del general José Figueres.

Tenían ahí a muchos de los militares que se entrenaron en la fortaleza de Coyotepe de Masaya, en Nicaragua. Recuerdo que ellos mismos enviaron una carta al señor comandante, mediante la cual le pedían más humanidad para el reo del calabozo número 1, quien pasaba todo el día quejándose pues, desde el regreso del hospital San Juan de Dios, me habían suprimido los calmantes y el tratamiento de recuperación que me habían dado.

Un nuevo sacerdote llegó como capellán del penal: Carlos Humberto Rodríguez Quirós. Él hizo todo lo posible por ayudar y dar un mensaje de amor a todos los presos. Se interesaba más en acudir a las celdas de los reos enfermos que en dar la misa o susurrar el rosario. Pronto se convirtió en amigo de todos nosotros:

—Padre, usted no me hable de Dios... yo no creo en Él...

—José León, hermano, lo importante es que Dios cree en usted...

—¿Cómo es posible que si existe Dios, un hombre como yo, inocente de un crimen que no cometió, esté así como ahora, con una herida infestada de gusanos?

—José León, José León: *la paciencia nos hace grandes, nos acerca a Dios...* Él escribe a veces en forma que nadie entiende... que nadie entiende. José León...

Monseñor logró que se ampliaran los minutos del sol a una hora. A su vez, la comida (el rancho), que antes se preparaba dos veces a la semana, ahora la cocinarían diariamente. Los granos del alimento eran más o menos buenos en el presupuesto del penal, pero el comandante y un sargento cambiaban el arroz, los frijoles, el maíz y los macarrones, de primera calidad, por granos deteriorados y en esa forma ganaban buen dinero. Pasaron dos meses. Un compañero me improvisó dos muletas con palos de escoba.

Recuerdo que era martes. Los martes en el penal no se pueden olvidar porque en esos días el rancho de la tarde trae carne: es un miserable pedazuelo de carne, pero carne al fin.

Como una hora antes del rancho se me llamó a la oficina de la comandancia. Cuando iba a salir del calabozo, un guardia me ordenó:

—Póngase una camisa...

—No tengo.

Era verdad: mi atuendo un saco de gangoche que me cubría hasta la cintura y otro para el dorso: entre ambos hacía una cobija en las noches.

—¡Te digo que te pongas una camisa!

Para no enojar al guardia, un compañero me prestó un pantalón y una camisa. Era un pantalón tan grande que dentro de él cabía dos veces. Arrastrando la pierna y apoyado en las muletas, llegué hasta la comandancia.

Ahí estaba, además del segundo comandante don Guillermo Lépiz (un verdugo refinado y cruel, también héroe de la Revolución de 1948), el señor juez penal de San José, don Hugo Porter Murillo. (Había conocido a don Hugo cinco años atrás para ser

144

exacto. Ante él había hecho la denuncia.) El administrador de justicia me preguntó:

—¿Por qué tiene sangre en el oído?

—Señor juez, me han torturado y obligado a decir cosas que nunca hice.

El juez penal primero de San José, quien en ese instante tenía que realizar una diligencia conmigo, había anotado ese momento:

—El reo muestra señas de tortura y dice haber sido flagelado.

De este modo, me era un tanto agradable el personaje como juez. Extraño pues, en general, en la penitenciaría se odia a los jueces, a los alcaldes y a los magistrados.

Una vez que el secretario estaba listo con su máquina de escribir, el juez Porter me explicó:

—Estoy aquí por una encomienda judicial del juez penal de San Carlos. Vamos a realizarle un acto judicial de reconocimiento. ¿Tiene alguna objeción?

No, yo no tenía objeción. El reo no tiene objeciones; además, el lugar era bonito: sobre una enorme mesa de caoba, en el centro, había un florero con rosas muy rojas y aromáticas. (Hacía tiempo que había olvidado el aroma de las rosas.) Cinco guardias de la penitenciaría se pusieron en fila y se me dio la oportunidad de ingresar en la comandancia.

—Sin las muletas, por favor...

—Sin ellas me caigo, señor juez...

Entonces, el juez acordó que podía inclinarme sobre uno de los guardianes, pero que debía permanecer erguido lo más posible.

Me extrañaba que un hombre como don Hugo Porter llevara a cabo un *reconocimiento de tal índole*. El momento carecía de equidad: un hombre muy bien vestido, con su camisa limpia y planchada, ante un reo de cabello hirsuto, piel amarilla, ojeras profundas y casi tambaleante.

Don Hugo Porter era también de los jueces que visitaban los patios del penal: siempre de traje, pulcro, con camisa blanca y

145

mancuernillas de oro. Los reos se ceñían sobre él y, a pesar de estar custodiado por guardias armados, le vaciaban sobre el traje cajitas llenas de piojos...

—Que ingrese la señora.

Ingresó una señora menuda, triste y con ojos de espanto, quien, con sólo fijar su mirada sobre el grupo, la detuvo sobre mi persona. Trató de señalarme con el brazo extendido, pero en vez de ello lanzó un grito lastimoso, fiero y se desmayó.

—El juez instructor hace notar que la testigo se ha desmayado al ver al reo José León Sánchez...

Yo no entendía lo que estaba pasando.

El segundo testigo enseñó la cédula, dio sus datos y expresó ser hermano de la mujer que se desmayó.

—Éste es, yo lo vi...

—¿Está usted seguro de que este hombre es la persona...?

—No hay duda, él es... yo lo vi... él es...

Lo dijo con rabia, con odio, señalándome como si con la punta de las uñas quisiera horadarme la vida.

En el interín del *último reconocimiento* ya me preocupé:

—Señor juez, ¿de qué se trata?

—Ahora le vamos a informar.

Se dio ingreso al tercer testigo. Al escucharlo, dentro de mí no sabía si reír o mentarle la madre. *Me reconoció al instante*; es más: sacó del bolsillo uno de los volantes que el piloto Muñeco Araya había lanzado sobre el villorrio de Aguas Zarcas y, señalándolo al juez, dijo:

—Yo estaba enfermo cuando escuché los gritos de mi hermana... este bandido huyó con la chiquita... es el mismo... ¿cómo no lo han matado?

Me observó y agregó con un acento que era como *vitriolo* molido y almacenado en veneno de cascabel:

—Encontramos a la chiquita violada y asesinada al día siguiente en uno de los cañales de Mercedes Matamoros.

El hombre se iba a acercar a mí con afán como de agredirme, pero un guardián lo impidió.

146

—Señor José León Sánchez: se le hace saber que está usted acusado de violar y asesinar a una niña de seis años. Los testigos, incluida la madre, lo han reconocido; ¿qué puede agregar usted a esta acusación? Se le hace saber que una confesión franca y sincera le ha de ser tomada en cuenta.

En un momento me puse serio. Don Hugo Porter Murillo, juez de San José, me enfrentaba a una nueva acusación: violación y asesinato de una niña.

—Ponga usted que es cierto.

—¿Que es cierto?

—No escuchó usted a la gente... me han reconocido, ¿qué más puedo hacer? La madre se ha desmayado...

Y de un momento a otro me puse a reír...

—¡Cínico, monstruo, asesino! —exclamó el coronel don Guillermo Lépiz y con asco me abofeteó, iba a hacerlo otra vez pero el juez se interpuso.

Como no dejaba de reír, el juez dijo al secretario:

—Se suspende este acto, pues el reo José León Sánchez ha sido atacado de histerismo.

Yo seguía riendo y hasta a carcajadas.

—¿Puede firmar?

—¿Dónde quiere que firme?

El comandante Lépiz invitó al juez a tomar café. Don Hugo Porter, en un acto que casi ofendió al coronel Lépiz, le preguntó:

—¿Podemos también invitar a José León?

El café estaba burbujeante. Había pan dulce, mantequilla y queso... Yo, con el peor modal del mundo, saqué una gran tajada de queso y la llené de mantequilla. Sabía que era mala educación de mi parte... pero no iba a tener la oportunidad otra vez de manifestar una mala educación como ésta. Casi atragantado miraba al juez y sonreía, como si me hiciera mucha gracia el acto que había pasado. El coronel no tomaba café, ni dejaba de mirarme en forma tal que me manifestaba mal augurio.

—Señor Sánchez... ¿por qué es usted tan rebelde?

147

—¿Rebelde yo? —pregunté a mi vez, casi atragantado por el pan, el queso y la mantequilla.

—Rebelde... de nuevo no dice la verdad...

—¿Tampoco le dije la verdad cuando me entrevistó por el asunto de la basílica?

—Usted ha reconocido hoy ser el autor de un crimen horrible... ¿por qué lo hizo?

—Y ¿qué más da...? Soy el Monstruo de la Basílica... el juez dice que me ha de imponer una pena de 45 años... y otros 45 ¿qué más da?

—José León, estas tres personas lo han reconocido como el hombre que secuestró en la orilla de un río a una niña que después apareció muerta. Eso sucedió un sábado en horas de la mañana... pero tengo una certificación de la Guardia Rural que dice que usted esa mañana ya tenía día y medio de venir herido en hombros de los guardianes que lo habían capturado.

Me sorprendieron las palabras de don Hugo Porter Murillo.

—¿Quisiera usted declarar ahora?

Y declaré; pero, así y todo, el coronel Lépiz no cambió su mirada, ni me pidió disculpas por la bofetada.

En el centro de la mesa, el ramo de rosas tenía un aroma como de justicia. Sí, un aroma de justicia.

16. El comando Bocaracá

Después de la fuga de la cárcel de Cartago, los periódicos tomaron la huida como lo más parecido a un *duelo nacional*.

No hubo un pueblo —grande, pequeño o mediano— hasta donde el capitán Muñeco Araya no sobrevolara con su avioneta cada domingo, después de la misa, dejando caer los volantes diseñados por el gobierno para la captura del Monstruo de la Basílica: "Vivo o muerto: diez mil pesos de recompensa".

También esos volantes cayeron por centenas sobre plazas públicas donde se llevaba a cabo un partido de futbol.

Otra noticia que hizo reír a algunos y enfureció a otros fue: "¡Un poeta recibe merecida paliza!"

De esa forma, los periódicos destacaban las noticias. A un joven imberbe nativo de Alajuela, llevado por un gesto de inspiración, se le ocurrió escribir un poema dedicado al prófugo. Un periódico decía que la paliza aplicada por los vecinos alajuelenses al *"escribidor" fue más que bien merecida*.

¿Qué había llevado al poeta hasta el hospital?

—¡Escribió un poema al diablo!

Ese joven poeta se llamaba Eduardo Estevanovich Rojas. El poema decía:

...tu melena de palabras ruge en la libertad
que ayer te quitó el destino
cuando osaste tocar el fuego de los dioses.

Y terminaba su poema con un vaticinio:

...te digo hermano que de tu pecho
brotarán palomas que volverán en blancos resplandores
el cielo que corona tu cabeza.

En esa semana hubo otra noticia relacionada con la fuga de José León Sánchez: un sacerdote de apellido Valenciano formó una romería de católicos fieles para salir desde todos los cantones de la nación hasta la Basílica de Cartago. Propósitos: rogar a la imagen sagrada de los Ángeles que ayudara en la captura del prófugo y recoger firmas para que el gobierno, al lograr la captura del fugitivo, le aplicara la pena de muerte.

También en una esquina de *La Hora*, el periódico del ex presidente Otilio Ulate, venía una noticia en rojo de media plana:

Se ha conformado en Seguridad Nacional
el comando Bocaracá.

En seguida aparecía una reseña sobre el objetivo: *la captura del fugitivo Sánchez*.

Bocaracá es el adjetivo con que se denomina a una de las serpientes más tenebrosas del país. Solía decirse que cuando un ser humano es atacado por una Bocaracá, solamente le quedaba *rezar*. En tal época no existía un antídoto contra su veneno.

Bajo el mando del capitán Isabel Martínez se integró el comando con un grupo selecto egresado de la Escuela Militar de Guadalupe. La inteligencia militar del comando poco a poco fue recogiendo datos sobre el lugar o los lugares donde el fugitivo pudiera refugiarse.

Los volantes del aviador Araya hicieron que llovieran pistas sobre el paradero del reo, todas falsas; empero, una de ellas daba una pista segura después de un mes de investigaciones: *el prófugo puede haberse refugiado en las montañas de Cucaracho de Río Cuarto.*

150

Un comerciante de Pital de San Carlos fue quien dio la pista final que llevaría al comando cerca de su presa. El comerciante informó que un campesino se había presentado en su negocio para comprar un par de botas *Turrialba* montañeras, una capa de hule, un foco con sus respectivas baterías de repuesto, cajas de fósforos y dos tarros de leche en polvo. El comprador despertó sospechas porque se llamaba Mancho Murillo, compañero de Oralia Sánchez, hermana de José León.

Entonces el comando Bocaracá mandó un espía para indagar todo lo referente a la familia Murillo Sánchez. Tres días después, el capitán Isabel recibió un parte detallado en el cual se le informaba que el prófugo había buscado refugio en el rancho de su hermana, en Cucaracho de Río Cuarto, a la vera del torrente Cuarto, cerca de las vegas del río Toro Amarillo.

El capitán Isabel recibió un mapa actualizado del rancho y del río. Para llegar al lugar se necesitaba cruzar montañas, pues no existían trillos ni caminos; además, el torrente no era navegable.

Atravesando montañas, pantanos y senderos peligrosos por la selva, el comando Bocaracá llegó hasta el rancho y con sigilo lo rodearon por todos lados.

La tarde anterior, la hermana de José León le había manifestado que se encontraba un poco ofuscada.

—Tengo un presentimiento, hermano mío.

—Los presentimientos no son más que eso: *presentimientos*.

El hermano se había presentado quince días antes. Llegó al rancho después de un enorme aguacero. Se anunció desde el otro lado del río, pues una creciente impedía cruzarlo. El prófugo hubo de esperar una noche y dos días hasta que bajara la corriente, la cual es muy furiosa, y que, con el pasar de los años, ayudaría al autor a describir la fiereza de la selva en su libro *La luna de la hierba roja*.

Cuando el río bajó, el prófugo lo cruzó. Estaba hambriento y tenía toda la piel enrojecida, pues las purrujas y los zancudos se habían cebado sobre su cuerpo. En el tabanco durmió durante dos días seguidos.

En verdad su cuñado Mancho había ido hasta Pital de San Carlos en busca de ropa y botas. La idea era que, una vez repuesto, pudiera seguir su camino hasta el río San Juan, frontera entre Costa Rica y Nicaragua.

Esa mañana, la hermana del fugitivo estaba llena de desasosiego. La montaña alrededor del rancho permanecía sospechosamente silenciosa y desde río arriba y río abajo no cruzaban los patos.

Cuando la montaña se llena de intrusos, todos los animales que habitan la selva guardan silencio. Lo mismo hacen los patos, que se asustan ante gente extraña y dejan de patrullar sus aguas.

Sobre unas esteras, su hermana estaba extendiendo una pata de cerdo montañés. La idea era disecarla para que le sirviera de alimento a José León en la ardua cruzada de la selva que le esperaba.

Alrededor del rancho, el capitán Isabel, con inteligencia y acuciosidad, aposentó a sus soldados, todos ellos armados con los rifles modernos M-1.

A las nueve de la mañana, el prófugo salió del rancho y caminó hasta un ojo de agua para llenar un calabazo; pero de un momento a otro la selva se convirtió en un infierno: desde todos los lugares dispararon los soldados. Al grito de ¡cese el fuego! callaron las armas.

El capitán Isabel corrió hasta donde estaba el hombre, convertido en un guiñapo: había recibido descargas en el pecho, en la parte baja del cuerpo y en los muslos. El capitán hizo a un lado al teniente Venero, quien intentó atarlo.

—No hace falta, no hace falta —ordenó, pues lo creían muerto.

La hermana de José León salió llorosa, reclamando al capitán Isabel:

—¿Por qué no le ordenó que levantara las manos? Él no tiene armas...

—Es cierto, capitán, el reo está desarmado...

—Ni falta que hace: a las alimañas no se les avisa, ¡se les dispara y ya!

Contrario al pensamiento de los soldados, el fugitivo abrió los ojos y comenzó a revolcarse de dolor.

—¿Lo rematamos, capitán?

El militar volvió a observar a la hermana Oralia, llorosa, y a sus dos hijos pequeños, quienes miraban la escena sin entender lo que sucedía.

—No, háganle un torniquete para que se detenga la sangre...

El capitán Isabel meditó que, de rematarlo, tendría también que matar a esa mujer y a sus dos hijos.

Una hora después, el comando Bocaracá se adentró en la montaña con rumbo a Pital de San Carlos. Cuatro soldados llevaban en una angarilla al reo, quien de vez en cuando lanzaba gritos de dolor.

El capitán anunciaba por radio:

—X más uno, X más uno...

—X más uno, aquí comandante Domingo García al habla...

—Mi comandante, Misión Bocaracá cumplida... la bestia está herida pero esperamos que llegue vivo...

Se escucharon murmullos:

—Comandante Isabel, X más uno, X más uno...

—¡Presente, comandante!

—Reciban el agradecimiento de toda la nación usted y sus valientes hombres.

—Aquí, X más uno... ¡gracias coronel, gracias!

17. La sentencia interminable

El pabellón este, al cual nos habían trasladado hacía varios meses, era distinto, un *poco más humano*. A ambos lados del pasillo había una celda de dos metros de largo por dos de ancho. Tenía algo así como una felicidad: en vez de puerta sellada de hierro, poseía una reja múltiple. La luz del día ingresaba a raudales y poco a poco el grupo de reos nos convertimos en cegatones. Las paredes eternamente oscuras van dañando los ojos.

Sin embargo, la celda tenía una ventaja: podía leer todo el día de pie junto a la reja. Un tropel de guardianes llegó al pabellón y a gritos nos despertaron: eran las tres de la mañana.

—Alisten todo lo que tengan...

Mis efectos personales cabían en una bolsa de manigueta y sobraba espacio: un pantalón, una camisa y una manta raída y mugrosa. Zapatos no, pues todos los reos andábamos descalzos.

Era frecuente que a esas horas llegaran los guardianes e hicieran registros, pero al decirnos *salgan con lo que tengan,* como un mal presagio, si es que en nuestra situación pudiera haber algo peor que la maldad en que vivíamos.

En mi celda tenía la caja de libros sobre derecho penal que Evita de Perón me había enviado desde la Universidad de Buenos Aires.

—¡No, la caja no, déjala ahí!

—Pero es que son mis libros, los necesito.

—No, no los necesitas, vas para el presidio de San Lucas.

—Por favor, son mis libros...

—¿Y qué?, ya tienes pena perpetua, ¿para qué te hacen falta?

Bueno; es verdad: la Sala Segunda de lo Penal de la Corte Suprema de Justicia, además de confirmar la pena que me impuso el juez penal de Cartago, la había elevado a 45 años. (Es decir: *una pena perpetua*.)

La sentencia contenía cincuenta y ocho folios. El notificador me leyó el por tanto de dos folios. En un acto desesperado, envié un escrito a la Sala Segunda de lo Penal, donde solicitaba que me dejaran estudiar el expediente, *pues en el mundo no existe un defensor que pueda apelar una sentencia que contiene decenas folios si además desconoce su contenido.*

Jamás iba a tener capacidad emotiva para redactar una súplica en la forma en que lo hice esa tarde después de escuchar una sentencia que me tendría entre rejas por toda la vida.

Señores magistrados —decía—, hay una ley que impera sobre todas las leyes. Existe desde el principio del mundo y ha de perdurar sobre el corazón humano en tanto a nuestra cabeza llegue el último titular del universo. Es ley de leyes. Ni el tiempo ni la geografía de las naciones, ni la historia ni las guerras al nacer y morir de las culturas, han impedido el imperio de esa ley hasta lo más íntimo del alma. Es, señores magistrados, la ley moral. En concordancia con esta ley, solicito se me permita estudiar el expediente que ahora está en San José.

La lucha de tantos años se estaba terminando. Durante un año entero antes de la sentencia fue imposible enviar ninguna comunicación al juez penal. Sin embargo, entre nuestros guardianes existía un hombre bueno: era tan bueno don Manuel como un pedazo de pan.

Los custodios siempre cohabitan con el miedo al reo; a su vez, el preso tiene como un principio imborrable que el guardián es su enemigo gratuito y que en cualquier momento puede azotarle o vaciarle la ametralladora calibre 45 sobre la cabeza. El odio y la desconfianza son mutuos. El guardián jamás da la espalda a un prisionero.

Don Manuel era un viejo con más de sesenta años y padecía una enfermedad que le impedía ingerir alimentos como la carne; por ello, durante días seguidos nos visitaba y nos regalaba la ración de sopa que le correspondía como parte del rancho. Sólo un día no lo hacía, pues estaba libre y salía del penal. Era un hombre que, cuando podía, aumentaba los quince minutos de sol hasta ocho minutos más.

Don Manuel llegaba hasta nuestra celda y decía:

—Ponga el tarro.

Nosotros por turno, según correspondiera, acercábamos el tarro a la reja y don Manuel escanciaba su porción de sopa. ¡Riquísima! Era una porción de carne, verdura y arroz. Como siempre quedábamos con hambre después de recibir el rancho, aceptábamos esa donación como si fuera el regalo de un ángel.

Ese día, don Manuel se acercó a la reja de Lara, un compañero que padecía una psicopatía muy fuerte, acentuada por los años de encierro y por vivir en cuatro paredes sin un pedazo de esperanza. En dos oportunidades intentó matarse. En un intento de fuga recibió una ráfaga de ametralladora que le cortó la nariz. Donde antes estaba, el compañero Lara tenía un hueco; sin embargo, otro de los reclusos le había confeccionado una nariz de madera y, bueno, ya entonces no lucía tan feo.

Ese día, don Manuel invitó a Lara a que acercara su tarro para darle la sopa. Cuando el buen viejo se acercó a la reja, Lara lo agredió con un objeto punzante y le atravesó el corazón, este objeto era un lápiz. Don Manuel emitió un grito escalofriante y cuando cayó al suelo ya estaba muerto.

Un tropel de guardias llegó al momento. Lara fue sacado del pabellón y unos instantes después escuchamos una ráfaga de ametralladora que provenía del jardín. De Lara nunca más volvimos a tener noticias. Tiempo después, un compañero, cuando sacaba las hierbas del jardín, encontró debajo de unas begonias una nariz de madera.

El comportamiento de Lara me resultó trágico, pues el comandante emitió una orden que vedaba el uso de lápices en la población penal.

Tantas veces como ya no las recuerdo le hablé al teniente Aztúa para suplicarle solicitara al señor comandante que me concediera un minuto de su tiempo.

—Esa solicitud debes hacerla por escrito.

—¿Cómo he de hacerla por escrito si están prohibidos los lápices?

—Es el reglamento.

—Hágame usted un favor: escriba por mí esa solicitud...

—El reglamento no me permite hacer cartas o notas a los reos.

—Señor, pero...

Tiempo después, el comandante cambió la orden y permitió que un reo pudiera tener un lápiz, pero solamente de un cuarto de su tamaño. Con la cuarta parte de un lápiz y partes cedidas por otros compañeros, logré de nuevo la comunicación con los tribunales.

La *Ley José León Sánchez* era clara: autorizaba al juez para que nombrara un abogado y que ese gasto se pagara a cuenta del presupuesto de la Corte Suprema de Justicia. Meses antes había logrado respuesta del señor Castillo quien, en su calidad de secretario del juzgado penal de Cartago, manifestó que una copia del expediente tenía un valor de 325 pesos.

Durante los años de presidio vividos hasta los inicios de 1955, cuando recibí la respuesta del secretario, jamás tuve en mi poder la suma de diez pesos. ¿De dónde podía sacar la ingente cantidad de 325 pesos para obtener una copia del expediente? No obstante, existía la *Ley José León Sánchez*. Solicité al tribunal, con apelación subsidiaria a la Sala Segunda de lo Penal de la Corte Suprema de Justicia, lo siguiente:

Como autodefensor y en concordancia con la ley que autoriza el pago de un abogado para mi defensa y dado que no ha sido posible usar de ese dinero, solicito que el tribunal pague al secretario la cantidad de 325 pesos y que se me envíe una copia total del expediente.

El juez respondió que el acuerdo de la ley era *para contratar a un abogado y no para pagar la copia del expediente.*

El Tribunal Superior de la Corte Suprema de Justicia, Sala Segunda, dio en todo la razón al juez y negó el pago de los 325 pesos para que el reo obtuviera una copia del expediente. Así fue como jamás en cinco años y medio logré enterarme de qué era en total de lo que se me acusaba.

La Sala Segunda de lo Penal de la Corte Suprema de Justicia, en resolución de las 9 horas y 45 minutos del 20 de junio de 1955, confirmó:

> José León Sánchez no tiene derecho a estudiar su expediente en las oficinas del tribunal en Cartago. La ley no le asiste cuando pide que el expediente pueda ser estudiado por él en las oficinas de la Secretaría de la Sala Segunda de lo Penal. La ley que autorizó el pago de un abogado y que dicho gasto se haga a cuenta del presupuesto de la Corte Suprema de Justicia en ningún momento da autorización para encargar la copia del expediente en el proceso que se le acusa y que la misma copia sea pagada por esta Corte Suprema de Justicia.

Sobre los alegatos en los que siempre se le había leído en todos los autos solamente el *por tanto* de una o dos páginas, la Sala Segunda de lo Penal arguyó, de conformidad con el *Código de Procedimientos Penales* y la *Ley Orgánica del Poder Judicial*, que el tribunal no está obligado a leer al reo todas las características de su asunto, sino solamente el *por tanto.*

La sentencia del juez penal fue de treinta años de cárcel. Al día siguiente, el juez penal de Cartago, don José Francisco Peralta, recibió un homenaje que le dieron las fuerzas vivas de la ciudad en el Club Sport Cartaginés. En el acto y con la presencia de todos los abogados y miembros civiles, políticos y religiosos de mayor relieve, se le impuso en el pecho una medalla de oro. Era el premio que la nación le brindaba por dictar la sentencia contra el Monstruo de la Basílica. Pero, la sentencia no gustó a los medios de comunicación, pues éstos esperaban algo así como una *pena de muerte.*

El juez imponía una pena de treinta años también a mi suegro y a Molina; y otra de cuatro años de prisión a los hermanos Chávez Porras *por encubrir al reo Molina*, quien era una de las personas que cité como el coautor del crimen de la basílica (había aludido al mote de Frankenstein).

En el hampa había varios delincuentes que tenían el mote de Drácula o Frankestein. Uno de ellos, Molina, fue capturado y desde el principio dije sobre él la verdad: era inocente, fue mentira mi declaración.

Al resto de los implicados también los desconocía. Por ignorar lo que decía el expediente, nunca logré saber de qué o por qué eran mis asociados en el juicio. El tribunal superior, la Sala Segunda de lo Penal de la Corte Suprema de Justicia, reformó la sentencia y declaró inocente al señor Molina, libre de toda responsabilidad.

Algo extraño sucedió: la misma Sala de Apelaciones encontró culpables a los hermanos Chávez Porras por el delito de encubrimiento. ¿Culpables de encubrir a cuál de los acusados? En mi vida jamás los había conocido; pero fueron declarados culpables y sentenciados a cuatro años de prisión por el delito de *encubrir a un personaje que en esa misma sentencia se declaraba inocente*. También mi suegro era declarado inocente.

La redacción de la sentencia decía:

Todo lo que José León Sánchez ha manifestado en este proceso no constituye sino una sarta de engaños y mentiras con la finalidad de confundir a los tribunales.

José León Sánchez nunca dijo la verdad de los hechos. Al no expresar lo acaecido en la Basílica de los Ángeles de Cartago, lleva a este tribunal a la veracidad de que siempre ocultó la verdad, porque es el *único culpable;* por tanto, su responsabilidad debe ser castigada con el máximo de la pena y se le impone una sentencia de 45 años de prisión.

En el ambiente corría un temor. Cuando se hablaba del presidio de San Lucas, el reo siempre temblaba, pues era el lugar sin regreso. Yo lo conocía. A los veinte años se me había conducido allá esposado de pies y manos. Después de mis fugas se me recluyó en esta serie de calabozos donde he pasado años.

A cada reo se le obligó a estar sentado frente a su propia celda, espalda contra espalda, atadas las manos por atrás con grilletes. Había silencio. La orden del teniente Morales era no hablar. Es casi imposible que una persona que jamás haya estado presa pueda entender lo que quiere decir *sí* o *no* en los labios de un carcelero. Miraba el cajón con libros que se quedaba en lo que había sido mi casa por mucho tiempo.

—Ya no los necesitarás, estás sentenciado, ya vas para el presidio con una condena de por vida.

No dejaba de sentir una intensa tristeza por *mis libros*, que eran mis amigos. En una forma muy especial, los textos de la Universidad de Buenos Aires habían constituido un sueño: significaban mi libertad, me darían luz, contenían la verdad.

Sabía que al día siguiente llegaría una cuadrilla de reos dedicados al aseo del penal y recogerían *toda la porquería* y los libros serían quemados como basura.

Allá con el tiempo le pregunté a un compañero que participó en la limpieza:

—¿Y mis libros?

—Todo lo sacamos al patio y le dimos fuego.

Bueno, ya todo había terminado. Y de un momento a otro me dio una risa nerviosa.

—¿De qué te ríes? —susurró mi compañero de espalda.

Conocía el pensamiento del magistrado Víctor Manuel Elizondo Mora: *ser buen juez...* El eco de esas palabras me daba vueltas en la cabeza.

Don Víctor no solamente fue uno de los tres jueces que me sentenciaron a toda una vida de prisión por un delito que no cometí, sino también una y otra vez firmó las negativas para que, como reo lleno de miseria, *no tuviese nunca la oportunidad de hacer su propia defensa.*

¡Ah, cuánta alegría me causó su expresión cuando escribió que *la misión del juez para hacer justicia es una labor sagrada!*

Era extraño: algunos compañeros lloraban. Todos estaban ya sentenciados. Unos tenían madre, esposas e hijos. En mi caso todo me era indiferente. Ninguna celda podía ser más terrible que donde había pasado años, con quince minutos de sol.

Me quitaron los libros; ciertamente, pero el conocimiento quedaba en mi cerebro. Los había devorado. Leí muchas veces el mismo texto, la idéntica obra literaria. En algo sí estaba equivocado: en el presidio de San Lucas, la vida sería más amarga que los momentos que hasta entonces había vivido. Sí, mucho más amarga.

18. El motín de la botella de agua

—Mi abuelo fue la persona que construyó en 1905 la *Cárcel Nueva* de San José. ¿Lo sabía usted?

—No, nunca lo he sabido...

—Mi abuelo era un hombre bueno y en eso de cárceles sabía mucho. Estudió en Lovaina, Bélgica. Antes, en el siglo pasado, la cárcel de San José era inhumana, pero después de mi abuelo fue diferente, como una casa grande para muchos, como una escuela. ¿Es bonita hoy la cárcel de donde usted viene?

Junto a mí un hombre mayor, canoso, era mi vecino en la cama del hospital San Juan de Dios. Había despertado ahí: era un salón grande, oloroso a formol y carbolina, todo gris. Una mujer de cofia blanca se movía de un lugar a otro, de una cama a otra:

—¿Quiere usted comulgar?

Dije que no a la monja y ella frunció el ceño.

—Y... ¿cómo se llamaba su abuelo?

—Nicolás Chavarría, que era ingeniero, estudioso y un hombre bueno...

Clavé los ojos sobre la cara de mi vecino y en un instante pensé en la *bondad de su abuelo* diseñador de la Penitenciaría Central de San José. ¿Un hombre bondadoso? Celdas escarmentosas, cada una con una aldaba en la pared para atar la cadena. Mazmorras interminables y puertas cubiertas con láminas de hierro... Abajo, en la sección sur donde he estado, había calabozos fríos, húmedos, hediondos, con puertas de hierro sólido rechinantes, como

162

campanas herrumbrosas con un casco de luz del tamaño de un ojo, y después todo oscuridad.

—¿No cree usted que mi abuelo era un buen hombre?

No, no lo sabía. En verdad era la primera vez que escuchaba el nombre de la persona que construyó la ergástula desde donde había venido: Lo último que recordaba fue una oscuridad total, el chorro de sangre caliente pegando en mi rostro y un sabor de letargo que se me iba viniendo y yendo... algo así como los pasos de la muerte, lo que más deseaba en ese instante.

El guardián divisó que debajo de la puerta salía un hilo de agua color rojo. Se acercó: era sangre y sonó el riel de la alarma. De esa manera habían salvado mi vida y por eso estaba ahora en el hospital San Juan de Dios, en San José.

—¿...Así que su abuelo construyó la.... cárcel?

El 7 de marzo de 1905 sucedió algo de espanto en la penitenciaría para varones, mujeres y niños de San José. Era una vieja casona de adobes y tejas, rodeada de garitas. Sobre los tejados de un cuadro había un pasadizo de madera, donde iban y venían hombres armados. Al centro estaban los reos, las reas y los niños presos, en una esquina el *cepo*. Eran dos tambores de madera con huecos que se ajustaban uno al otro. Ahí ponían al reo o a la rea con manos, cabeza y pies metidos, por días y por semanas. En los pueblos de Costa Rica, donde no existía la cárcel, era común encontrar un instrumento de ésos. En el patio cercano a la iglesia siempre había un cepo, una herencia colonial.

La cárcel de San José era un cuadrángulo de sesenta por sesenta metros. El pozo que alimentaba de agua al penal se había secado, de manera que los familiares de los reos tenían que llevar el agua y la comida al prisionero. Una vez a la semana se permitía el ingreso de medio barril de agua para la limpieza, con la cual se bañaban, y una botella de agua diaria por cabeza; pero había presos a los que nadie les llevaba su botella de agua.

A ellos, más pobres que la pobreza, unos hermanos franciscanos se encargaban de suministrarles agua y comida. Eran los hermanos mendigos de la Cofradía de Asís.

En la noche se dividía a los reos: mujeres al salón dos, niños al pabellón siete y los hombres a la ergástula nueve. Dormían en el suelo sobre un empedrado y se quitaban el frío con lo que pudieran. Sucedió que el comandante prohibió el ingreso de la botella de agua a siete prisioneros que estaban por *contrabandistas de licor.*

Al tercer día hubo un motín. Los presos quemaron las cañas del techo que sostenían las tejas y el penal ardió, lo cual fue aprovechado por algunos para huir y los soldados dispararon. Hubo muertos. Los soldados ingresaron con sus caballos (la caballería del ejército) y algunos niños murieron pisoteados. Todo terminó con un baño de sangre.

Desde muchos años antes, ya había la idea de hacer en San José una cárcel nueva.

En el púlpito, los sacerdotes criticaron al gobierno. Era un acto contra Dios —decían—. El mismo Jesús mandaba que fuéramos buenos con los hombres, las mujeres y los niños privados de libertad.

Dos días después de los sucesos, el señor Secretario de Policía y Gobernación, licenciado José Aztúa Aguilar, reconoció el error del gobierno en el tratamiento a los reos y escribió en *La Gaceta:* "...en la cárcel, la distribución interior dificulta de sobremanera la vigilancia; la limpieza del personal y la falta de provisiones sobre la salubridad de los salones y las celdas han hecho posible lo que ha sucedido".

La idea de una nueva cárcel databa de 1885. El 21 de septiembre, el Congreso de la República autorizó al Poder Ejecutivo para que, por cuenta del Tesoro Público, se construyera una penitenciaría central. Se inspiró en un informe de Ascensión Esquivel, secretario de Justicia, quien proponía la idea por el mal estado de las prisiones de adobe.

Esquivel, quien años después llegaría a ser Presidente de Costa Rica, cuestionó la miseria carcelaria y el tratamiento a los criminales, al decir:

La cárcel, en lugar de humillar con su violencia, debe ser un lugar científico, de moralización, con hábitos de trabajo. Debe ser un antro

164

de luz, de religión y de trabajo, donde el delincuente, sin los escollos de arrestos colectivos, tenga sana enseñanza, buenos ejemplos, costumbres y oficios y hasta una profesión que le brinde medios honestos para vivir.

En su presentación, Esquivel citaba la reforma penitenciaria de Francia, iniciada por Napoleón III, creador de la Isla del Diablo.

En Inglaterra, desde hacía más de un siglo, se encontró un *buen método* para luchar contra el delito. El Imperio inglés poseía en Oceanía una isla continental llamada Australia, que tenía millones de kilómetros cuadrados con muy pocos habitantes. En esa época existía en Inglaterra un código penal considerado el más drástico en la historia del hombre y mucho más cruel que el castigo de Falaris en la antigua Grecia.

Más de 200 faltas y delitos motivaban la de pena de muerte, incluso robar un pan o ejercer la prostitución (pena aplicada solamente a la mujer, pues se pensaba que el hombre no era culpable, que no existía el *prostituto*). También era penada la mendicidad reiterante, la vagancia o cazar un conejo en el coto de un notable inglés. Pronto se iba a llamar a este libro *El Código Negro*.

Un día a alguien se le ocurrió:

—Majestad, ¿por qué no emitir una ley de perdón a todo delincuente que quiera emigrar a Australia?

La ley se emitió y se ofreció perdón a los delincuentes con edades de doce a cien años que quisieran vivir en Australia y poblarla.

La misma idea fue retomada por Napoléon III de Francia.

Por su parte, en América, en las costas de Venezuela existía un extenso territorio deshabitado, llamado Cayena. ¿Por qué no imitar la buena idea de los ingleses? Al respecto se hizo una ley: "Los delincuentes serán llevados a Cayena para siempre sin posibilidad jamás de regresar a Francia".

—Pero... ¿quién los habrá de cuidar allá?

—Despreocupaos, los cuidarán bribones peores que ellos.

Ésta fue la respuesta que dio Napoleón III, quien conocía el porqué, pues era un ex prisionero que sabía cómo actúan los funcionarios penitenciarios. Sus palabras fueron proféticas: Cayena se convirtió en *La Isla del Diablo*, una de las prisiones más tétricas sobre la faz de la Tierra. En esa prisión se inspiró el *Presidio de San Lucas*, a la que se enviaron reos en 1860 y se constituyó por ley en 1871.

A fines del siglo pasado —después de 1885, cuando se emitió la ley para construir la nueva cárcel de San José— un grupo de jóvenes estudiosos avalaron la idea. Entre ellos, Cleto González Víquez, un indio de Barva de Heredia que había ido descalzo a la Universidad Nacional de Santo Tomás, por no tener zapatos, y un heredero de los colonos de Cartago, Ricardo Jiménez Oreamuno (después presidente de la nación), formaban parte de los nuevos ideales para dignificar la penalización del hombre. Otro de ellos, que había traducido la obra de Enrico Ferri al español, Octavio Beeche, ofreció al gobierno hacer una gira por Europa para estudiar todo lo nuevo en sistema penitenciario.

En Europa campeaba la idea del *positivismo*, esa doctrina que postulaba una nueva forma de ver toda la criminalidad del hombre desde los códigos hasta la ejecución de la pena.

Lombroso, Ferri, Carrara y Howard eran maestros que se habían planteado una o varias preguntas, como, ¿nace el delincuente?, ¿existe un perfil? O, había escrito Rousseau, el gran enciclopedista de la Revolución Francesa, ¿el ambiente hace al delincuente?, ¿por qué el enfermo de epilepsia ejecuta crímenes terribles y después no se acuerda de haberlos cometido?, ¿existe el crimen como una herencia?, ¿qué es un delincuente?

Una vez definidos esos puntos, aparecían otras preguntas: ¿cómo debe tratarse al hombre que ha delinquido?, ¿es buena la pena de muerte que existe desde el alba de los tiempos?

En la Biblia se dice que existían otros pueblos además del que provenían Adán, Eva, Abel y Caín. Cuando Caín mató a Abel, Jehová meditó que podían aplicarle la pena de muerte por su acto, sin embargo, la prohibió; Caín, no muy seguro de la bondad de Jehová, huyó a otro pueblo, la Tierra de Nod, donde encontró mujer y formó una familia (Génesis, 4: 16).

El joven Octavio Beeche fue a Europa, estudió el sistema penitenciario de varias cárceles y analizó diferentes sistemas de tratamiento: su labor de investigación duró un año. Para ello, visitó las prisiones de Lovaina, en Bélgica; Turín, Regina Coelli, en Italia; en Irlanda conoció las penitenciarías de Millbank, Wormwood y Neuchatel; en Francia las prisiones de Santé en París y Melún; y en Alemania las de Hamburgo y Plotzensee.

Beeche encontró fascinante a los sistemas cerrados: celdas de aislamiento total (celular) donde los prisioneros estaban condenados al silencio y además recibían una hora de sol con una máscara sobre el rostro para que no se distinguieran unos con otros. También estudió sistemas radiales y panópticos de vigilancia centrales. Todas las prisiones poseen en común una característica: son lugares de encierro con una crueldad única. A pesar de ello, eran lo que los penitenciaristas llamaban *cárceles modernas*.

Al licenciado José Aztúa Aguilar le parecía suficiente una reforma penitenciaria: "No basta una nueva cárcel de San José, sino que se imponga una nueva legislatura penal y procesal".

Ya en el primer curso de derecho penal impartido en la Escuela de Derecho de la Universidad Nacional de Santo Tomás, en 1909, el profesor Aztúa abogaba por la modernización de las ideas penitenciarias, al decir:

> Si lo contemplamos plasmado en los códigos o leyes vigentes, es el derecho positivo de la penalidad (legislación penal), pero si lo miramos como un conjunto de principios científicos llamados a inspirar en la materia la conciencia pública y la legislación, es entonces el derecho penal de la racionalidad, la ciencia del derecho penal.

El licenciado Aztúa Aguilar agregaba temas sobre los estudios de Lombroso (*El hombre delincuente*), de Ferri (*Los nuevos horizontes del derecho penal*) y de Garófalo (*La criminología*).

Las ideas sobre el delito y el delincuente se iban a materializar cuatro años después de haberse terminado de construir la penitenciaría. En 1914, el *Código Penal de Costa Rica* ya imponía *penas perpetuas* (art. 46). Asimismo, cuando un reo salía libre, era obligado a llevar una constancia de haber obtenido su libertad. Ese documento debía ser entregado al Jefe Político de todo lugar donde visitare o viviere, y no podía viajar de un lugar a otro de la República sin el correspondiente permiso de la autoridad política. También es cierto que a la presentación de su hoja de libertad, la autoridad no podía definir el permiso para que el ex preso pudiera o no habitar el pueblo donde llegaba.

En el *Código de Procedimientos Penales* de 1906 se instituyeron leyes con el fin de permitir cierto tipo de tratamiento a los reos, *de conformidad con la estructura de la Cárcel Pública para Varones, Mujeres y Niños que comenzó a construirse en 1905.*

En el *Código de Procedimientos Penales* existía un artículo que dio cabida a todas las aberraciones posibles en el campo de la violación de los derechos humanos: el artículo 351, que permitía la aplicación de *medidas de seguridad, como la celda cerrada y grilletes en pies y manos.*

Esa medida podían imponerla el director de la prisión o el juez cuando lo consideraran prudente *por versar el proceso sobre un crimen atroz.* De esa forma fueron posibles los calabozos cerrados y las argollas en cada celda para ubicar a los prisioneros encadenados.

La idea del silencio pervivió por muchos años y castigaba a los reos que conversaban durante las horas de sol. Así fue en cierta forma, hasta mis tiempos en 1950.

El joven abogado don Octavio Beeche fue meticuloso en sus informes sobre los penales estudiados en Europa: organización penal penitenciaria, sistemas, reglamentos, estructuras arquitectónicas, situaciones de miedo en el penal, etcétera. Su informe fue presentado al gobierno de la República el 15 de agosto de 1890, y tardaría muchos años en verse realizado en un sistema penal.

Humanizar la aplicación de la pena.

Tal era la idea de jóvenes como Octavio Beeche, Cleto González Víquez y Ricardo Jiménez, así como del maestro Aztúa Aguilar;

sin embargo, en el fondo imperaron las ideas de los militares, quienes incluso deseaban una penitenciaría para presos políticos.

En el *Código Penal* se incluyeron artículos como el 45, que hablaba de la pena del destierro. Para ciertos delitos políticos, conexos o no, se establecía *la privación de todos los derechos, cargos, empleos u oficios públicos y profesiones.*

Como parte de la pena se agregaba *la privación de todos los derechos políticos, activos, pasivos y la incapacidad perpetua para obtenerlos.* Además, en el artículo 80 *se preceptuaban penas para niños mayores de 10 años.*

Una mujer sentenciada por el ejercicio de la prostitución sería desterrada a 450 kilómetros del lugar de comisión de su delito; pero no se consideraba la complicidad de la falta para el hombre.

Como sistema *educativo de la nueva penitenciaría,* a partir de 1905, cuando se inició la construcción de la cárcel, salió a debate público la forma o formas en que se iba a reeducar al reo.

Beeche había estudiado el sistema penal de Filadelfia y el irlandés: celdas cerradas, excusados turcos (defecar en cuclillas), vestuario a rayas, alimentación y castigos (como recibir solamente la mitad de la comida o ser sometido a pan y agua en una celda de encierro). En su inicio, el gobierno de la República convocó a un concurso y ofreció premios de mil pesos a quien diseñara el mejor proyecto de una cárcel nueva para San José.

El concurso lo ganaron dos profesionales: el ingeniero Nicolás Chavarría y el arquitecto Guillermo Reitz.

Nicolás Chavarría había estudiado en Bélgica y era conocido como constructor de acueductos, puentes, caminos y edificios. Director de Obras Públicas y Fomento, profesor de matemáticas en el Liceo de Costa Rica y participó en el diseño de los planos para la construcción del Teatro Nacional.

A su vez, Guillermo Reitz, un arquitecto egresado de la Universidad de Heidelberg, Alemania. Llegó a Costa Rica contratado en 1860 para la construcción del camino a Sarapiquí, que iba a dar al país una salida al mar Atlántico; formaba parte de la Oficina Técnica de la Dirección General de Obras Públicas, encargada de elaborar los planos del Teatro Nacional, y había estudiado el proyecto para la construcción de cárceles en Estados Unidos y Europa.

La penitenciaría se empezó a construir en 1905, según la dirección e ideas de ambos profesionales. La construcción tenía un diseño radial, celdas celulares y un sitio de vigilancia central, con un patio en forma de abanico. Poseía un segundo piso en las secciones norte, este y oeste y en cada primer nivel una serie de celdas. Cada una de ellas tenía puertas de dura madera, tapizadas con planchas de cobre por dentro. Cada celda medía 2.50 metros de ancho y lo mismo de alto, y en cada sección había pabellones para reos comunales.

Las paredes eran gruesas, medio metro de ancho, y al fondo de cada celda existía una reja. Las cámaras de castigo o celulares no tenían las rejas para el ingreso de la luz.

Al frente de la construcción del edificio se esculpió en madera una leyenda que se mantendría por muchos años, hasta 1917:

La pena que pretende moralizar
no debe humillar.

El frente del penal fue adquiriendo poco a poco la apariencia de un castillo medieval.

En la construcción intervino como contratista el ingeniero don Lesmes Jiménez, quien se empeñó en que el diseño de la penitenciaría debía ser neogótico. Era la idea de los jóvenes arquitectos; por ello, con ese estilo se hicieron edificios como las iglesias de La Merced, de Moravia, de San Rafael de Heredia, de Grecia, de San Isidro de Heredia y de Coronado, el asilo para locos Chapuí, la comandancia de Cartago y los cuarteles de Puntarenas y Alajuela.

En la penitenciaría se impusieron diferentes formas neogóticas en su presentación: frontispicio, torres de vigilancia, puertas y ventanas, la muralla perimetral, la puerta de acceso ojival, ventanas con rejas al frente, barrotes con nudos redondos y dovelas de piedra sin labrar. Así, poco a poco iba teniendo la apariencia de un castillo de horror sobre una colina separada de la ciudad de San José.

Para la construcción de la cárcel, el Congreso creó un impuesto del 20% sobre el precio de los licores. Una vez terminada la penitenciaría, el dinero que se siguiera recaudando sería destinado a la construcción de caminos.

En los medios de información se dio la noticia que hacer la *nueva penitenciaría significaba una obra patriótica.*

Para administrar los trabajos se encargó al ingeniero Manuel Dengo, apoyado por las ideas de otros detallistas y del diseñador Guillermo Gorgollo. A todas esas personas se debería la terminación del edificio.

Para la construcción de la prisión se creó primero un taller para los ladrillos, otros se usaron con el fin de labrar las piedras y construir las baldosas del Parque Morazán, la Biblioteca Nacional, la Estación del Ferrocarril al Pacífico y la iglesia de La Soledad. Desde marzo de 1905 hasta 1910 se desempeñó esa labor de la construcción; sin embargo, no se pudo inaugurar —como estaba previsto— durante el gobierno de don Cleto González Víquez, porque en ese año hubo un terremoto terrible (el de 1910) y partes del edificio se cayeron. Se cree que más de un centenar (hombres y mujeres) fueron sepultados en los escombros.

Al terminar el edificio, un informe del director de Obras Públicas dice que el costo total fue de 587 424.40 pesos. En ese costo se incluían el valor del puente para ascender la colina sobre el río Torres y el del camino de subida a la loma del penal, que costó 200 000.

Al remodelar el penal, después del terremoto de 1910, se impusieron las ideas del penitenciarista Jeremy Bentham, quien desde 1790 había creado el sistema de Filadelfia. Y así fue el tratamiento: aislamiento absoluto de los reos en celdas celulares, lo cual implicaba el método del silencio (silencio en las horas de comida y en las de trabajo). Los talleres que se hicieron para las labores de los reos eran una lavandería de sombreros, un taller picapedrero, una fábrica de sombreros de pita y una purería.

En un principio, se pensó en el dibujo publicado por don Octavio Beeche acerca de los presos a la hora de realizar sus ejercicios en la penitenciaría de Pentonville en Inglaterra. Era el mismo estilo aplicado en el penal de Lovaina, Bélgica: los reos trabajando y tomando el sol con una máscara sobre el rostro. De esa forma, seguían de cierta manera el sistema de aislamiento que mantenían en sus celdas.

En los periódicos de esa época se alababa el sentido que se había impuesto al penal de San José:

—El edificio es igual en todo a la penitenciaría de Leicester, una prisión gótica de Inglaterra construida en 1825...

—¿En todo, igual en todo?

—En todo: celdas celulares con argollas para las cadenas, el garrote del castigo, carlancas, grillos, grilletes, calabozos del silencio y golpes a palos por desobediencia.

La historia del arte a veces da copias curiosas: el famoso cuadro de Vincent van Gogh, acerca de los reos tomando su hora de sol, es una copia del horrible tratamiento que se imponía en Holanda e Inglaterra a los presos en su *hora de aire puro*.

Una madrugada de 1917 le llegó su hora trágica a la penitenciaría de San José. Una parte de ella, ubicada en la sección este, fue dedicada a cuartel militar. En San José imperaba el régimen tiránico de los hermanos Tinoco. El 22 de octubre de 1917, en la penitenciaría estaban encerrados 416 reos: hombres, mujeres y niños (mayores de diez años), bajo un régimen de crueldad.

Se ha escrito sobre el motivo que los condujo a la cárcel: muchos niños por hurto, vagancia o desobediencia a sus padres, niños que estaban en abandono, alejados de la cristiandad, pues muchos de ellos no habían sido bautizados. Por el delito de hurto había 96 reos, por fabricar licor de contrabando 95 y por el delito de lesiones 58. Otros crímenes eran: abigeato (robo de ganado), robo, estafa, sublevación, homicidio, amenazas, falsificación de moneda (se les acusaba de raspar la orilla de las monedas de oro y de plata mermando así su peso), daños, violación, estupro, prostitución (había detenidas 20 mujeres), sodomía, calumnia, false-

172

dad de palabra, timo, rapto, homicidio frustrado, abandono de menores, sustracción de menores y delitos contra la fe cristiana.

La madrugada del 22 de octubre de 1917, una explosión conmovió a la ciudad de San José. El cuartel militar y la parte de la penitenciaría volaron en pedazos. Después se encontró un papel que decía:

Contra el general Tinoco:
... dejé lo demás para después.
Este gobierno de bandoleros caerá.
El país lo quiere y el presidente de los Estados Unidos también. ¿Cómo podría salvarse? Ahora están dedicados todos a robar. El ministro de Hacienda roba 15% de los sueldos del gobierno. Ésta es una obra patriótica.

La acción *patriótica* de los revolucionarios provocó la muerte de 136 soldados, además de 40 heridos y 25 desaparecidos. Dicha obra de esos guerrilleros en el lado de la penitenciaría produjo más de 125 reos destrozados: pedazos de ellos (hombres y mujeres) quedaron incrustados en la fábrica de puros del penal, y manos y piernas volaron por los aires.

Por varios años, la penitenciaría iba a permanecer en una especie de abandono. Hubo duelo nacional por los soldados tinoquistas muertos. En las iglesias no se llevaron a cabo rosarios ni desvelos por todos los hombres, mujeres y niños que padecieron destrozos en el penal. Al fin y al cabo, tales reos no era sino parte de la carroña que la sociedad tenía sepultada en el castillo del horror.

19. La Ley José León Sánchez

Ser un buen juez
no sólo es saber el derecho
sobre un caso en disputa.
Ser un buen juez
es tener conciencia plena
que es sagrada
la misión de impartir
justicia en la Tierra.

Víctor Manuel Elizondo Mora

El epígrafe con que inicia este capítulo, que trata de la aplicación de la justicia, fue emitido por un magistrado de la Corte Suprema de Justicia y está inscrito en mármol a la entrada de un importante edificio del tribunal en la ciudad de Heredia.

Ya Justiniano citaba la *santidad de la justicia*, algo así como el *eco de Dios*, además le gustaba hacer recuerdos sobre Marco Aurelio, Emperador Romano (121-180 d. C.), considerado uno de los grandes pensadores de la humanidad. Marco Aurelio recomendaba al ciudadano "...a todas horas piensa tenazmente (como romano y como hombre) en hacer lo que tienes entre manos, con seriedad meticulosa y sincera, con amor, con libertad, con justicia..."

La historia de Roma cuenta que durante el imperio de Marco Aurelio (este pensador con aires de santidad socrática), en el cir-

174

co nunca faltó cada semana la carnicería contra los cristianos a las diez de la mañana y el derramamiento de sangre de los esclavos gladiadores a las dos de la tarde... *¡Pinches sabios!*

Es cruel la historia del derecho penal cuando sabemos que a veces los jueces usan los códigos como arma, para envilecer a un hombre, encubrir una mentira, asesinar una conciencia, arruinar una familia o confundir a la nación.

El juez penal de Cartago llama a juicio a los acusados por el crimen de la basílica. El acto de prisión y enjuiciamiento cita a siete encausados, de los cuales sólo a uno de ellos tuve la oportunidad de conocer: don Roberto. Ya para entonces yo cumplía casi un año de estar encerrado en el calabozo. Sólo me era posible salir de él para los citados *minutos a recibir el sol.*

Recuerdo que en alguna oportunidad se intentó trasladarme a una celda más humana (si es que puede llamarse humana). La nueva celda tenía algo de comunal. Tomaba entonces las revistas *Leoplán* que me había enviado doña Evita Duarte de Perón y las leía en voz alta. Todo terminó cuando un diputado (después nombrado presidente de Costa Rica), don Mario Echandi Jiménez, se enteró de las *lecturas que un criminal hacía a sus compañeros,* y publicó un artículo de primera página en *La Nación* denunciando que estaba formando *una escuela de criminales. Se me regresó al calabozo y a los 15 minutos de sol.*

Nunca llegué a conocer el cuestionamiento que me hacía el juez penal de Cartago, José Manuel Vargas Solís. En el *por tanto* se me citaba como un ser monstruoso, de vida tortuosa dentro del delito y reincidente. Y ya enfrentaba una sentencia de treinta años de prisión.

Como *reincidente* nunca iba a tener derecho a excarcelación, libertad vigilada, suspensión de pena, libertad condicional o indulto. Además de ello, no tendría atenuación alguna en la aplicación de la sentencia. En sí, esa definición me causó asombro. ¿De dónde había sacado el juez penal la certidumbre de que este joven era un *reincidente?* Tenía en el expediente una certificación de Archivos Nacionales, donde se anotaba el Registro Judicial de Delincuentes y donde manifestaba que no había *sentencias penales en contra de José León Sánchez*.

Tal certificación estaba ahí, en el folio 132, y fue recibida el 16 de junio de 1950. En respuesta a esa acción del Tribunal Penal de Cartago, la Sala Segunda de lo Penal de la Corte Suprema de Justicia señaló *nulidad* de todo lo actuado por el juez. Por cuanto José León Sánchez no había contado con una defensa que le representara en sus intereses.

Los periódicos *La Nación*, *La Hora* y *Diario de Costa Rica* publicaron noticias tan aviesas sobre José León Sánchez, que era muy difícil encontrarle un abogado defensor. Entonces se inició una guerra entre el decoro de los abogados de Costa Rica y el imperio de la justicia.

El juez nombró como abogado defensor de oficio para José León Sánchez al licenciado Humberto Hernández Piedra. El 21 de agosto de 1952, el licenciado Piedra respondió que no aceptaba el nombramiento. "Es —decía— una ignominia lo que el juez penal ha hecho." Él era religioso y consideraba culpables a los acusados. En un auto, el juez aceptó la negativa y le pidió perdón por la acción.

El licenciado don Fernando Volio Sancho, uno de los patricios de la ciudad de Cartago, hizo un movimiento entre todos los abogados de la provincia, y en un solo acto se presentaron ante el tribunal penal. Dicho profesional manifestó que ni siquiera en una forma *nominal* los abogados de Cartago aceptarían ser citados en ese expediente como abogados de José León Sánchez. Se los impedía *su dignidad, sus sentimientos religiosos y el honor de sus familias*. Además, *todos en grupo estaban totalmente convencidos de la culpabilidad del Monstruo de la Basílica*.

La Nación hizo eco de esa noticia y dio la razón a los abogados. Don Fernando Volio Sancho agregaba: "Defender a esos criminales es todo un atropello a la dignidad familiar".

Una radio de San José observó (por casualidad) que, aunque casi todos los acusados eran gente vieja, uno de ellos, José León Sánchez, si acaso rondaba la mayoría de edad.

—¿Y qué? —respondió el licenciado Volio Sancho—, la profesión de un abogado es tan sagrada que no se puede gastar en hacer defensa de tarados mentales con herencias criminales como las de ese muchacho.

La Nación publicó el Manifiesto de los Abogados de Cartago con la firma del licenciado Fernando Volio Sancho:

> Todos los abogados litigantes de la ciudad de Cartago y sus cantones nos negamos a ser defensores en este abominable proceso. Estamos dispuestos a arrastrar todas las consecuencias que nos pueda acarrear esta negativa. Nuestra actitud es firme e inclusive aceptamos desde ya todas las sanciones de cualquier tipo que nos quieran imponer.
>
> De ningún modo y bajo ningún concepto accederíamos a aceptar la defensa de José León Sánchez, ni siquiera en forma nominal.[1]

Pasarían muchos años...

Con el tiempo, un hijo del licenciado Fernando Volio Sancho, don Fernando Volio Jiménez, llegaría a ser miembro de la Comisión Mundial en pro de los Derechos Humanos. Cuando este abogado y escritor ostentaba el puesto de ministro de Relaciones Exteriores de Costa Rica, el 17 de agosto de 1982 la *Gaceta Oficial* publicó lo siguiente:

> En cumplimiento de las atribuciones que me confieren la Constitución y las leyes de la República y por quererlo así el bien y el interés nacional de los costarricenses
>
> He resuelto nombrar al señor José León Sánchez cónsul en San Francisco, California, Estados Unidos de América, y en tal virtud extiendo las presentes letras patentes.

---

[1] Aunque los abogados provinciales y cantonales de Cartago se negaban a la defensa, en cambio otros abogados afamados de esa ciudad asumieron la acusación: el fiscal José Luis Villanueva Badilla, el procurador penal Mario Gómez Calvo y el juez, sí eran de Cartago. (*N. del E.*)

Por tanto, ordeno a los costarricenses le atiendan, obedezcan, soliciten su ayuda y cumplan con las obligaciones que las leyes de Costa Rica les impongan con él.

Luis Alberto Monge Álvarez
Presidente de Costa Rica

Fernando Volio Jiménez
Ministro de Relaciones
Exteriores y Culto

En vista de que los abogados de Cartago en pleno se negaron a asumir la defensa penal de José León Sánchez, el juez consultó con la Corte Suprema de Justicia y pidió permiso para nombrar a cualquier abogado de la República. A estas alturas se había cambiado al juez penal de Cartago y ahora lo es el licenciado José Francisco Peralta.

La Corte Suprema accedió a la petición del juez. El próximo abogado de oficio en favor del reo era toda una tragedia: correspondía el nombramiento al licenciado don Rodrigo Acosta Rodó. Cuando el notificador llegó a su oficina con la boleta del nombramiento, se sintió tan ofendido que insultó al funcionario público y le tiró a la cara los papeles y la máquina de escribir. Entonces se hizo el escándalo: abogados, procuradores y bachilleres cerraron filas a favor del licenciado Acosta Rodó; empero, su acción había ofendido la aplicación de la ley. El juez terminó imponiéndole una multa de 100 pesos por ese acto. Hizo énfasis en que no era por haberse negado a una defensa, sino por el gesto hostil demostrado al notificador.

El licenciado Acosta Rodó apeló ante la Sala Segunda de lo Penal, y el Tribunal Superior cambió la pena e impuso al profesional una multa de 25 pesos en favor de la Tesorería del Colegio de Abogados.

La noticia, divulgada por los periódicos, cundió. El abogado se convirtió en mártir y su oficina fue inundada de donaciones. En la celebración de las *misas de ocho,* los domingos se hicieron colectas para pagar la multa.

El licenciado Acosta Rodó llegó a recibir una cantidad de dinero considerable, la cual destinó a los niños con hambre del Hospicio para Huérfanos. Con todo, el abogado se negó a pagar los 25 pesos de multa, y sólo cuando la Secretaría del Colegio de Abogados lo amenazó con enviarlo a la cárcel acudió a cancelar.

El juez seguía con el dilema de la falta de defensa. Para no herir a los abogados, se le ocurrió una idea: citó al tribunal penal al licenciado Ernesto Calzada Bolandi, alcalde primero de Cartago. Tomó el nombre de los abogados y los introdujo en un sombrero. En seguida se levantó un acta y el señor Alcalde removió una gran cantidad de cigarrillos que contenían el nombre de los abogados y sacó uno.

En la rifa apareció el nombre del licenciado Raúl Marín López; sin embargo, éste manifestó estar dispuesto a ir a la cárcel antes que aceptar dicha defensa. Ni siquiera ofreció pagar los 25 pesos de multa. Él —decía— con honra y mérito iría al penal, pero no haría nada como deshonrar la memoria de su apellido y dar un pendón de deshonor a sus hijos cuando la gente dijera que él fue el defensor del Monstruo de la Basílica.

El juez mandó una carta al Colegio de Abogados solicitando una lista de todos los abogados litigantes de la República, y dicho Colegio envió la lista.

En seguida apareció un rol de nombramientos y disculpas por parte de los abogados nombrados: Marco Aurelio Odio Santos, Otón Acosta Jiménez (futuro magistrado, quien dijo que su conciencia religiosa le impedía defender a un criminal que había ofendido a su religión, a la Virgen, a Dios y a la nación), Guillermo Valverde, Leopoldo Montealegre Alfaro, Miguel Ángel Xirinach y Rodrigo Vargas Vargas.

Ante esa lluvia de negativas que abarcaron a todos los abogados de Costa Rica, el señor juez penal de Cartago tuvo una nueva idea: podían ejercer la profesión una gama de estudiosos en derecho que, sin ser abogados, litigaran (se denominaban *procuradores*). Esa potestad de litigar también la ley se la daba a los *bachilleres* o *pasantes de derecho*.

El juez solicitó a la Escuela de Derecho de la Universidad Nacional que enviara una lista de los estudiantes a partir del cuarto año de su carrera. La escuela envió la lista. Entonces, el juez nombró como defensor para los *siete acusados* al estudiante Fernando Salazar López (en la lista seguían Francisco González Murillo, Néstor Baltodano y Nacario Villalobos).

Éste era un caso interesante: Nacario Villalobos Montero, nativo de Heredia, no respondió en forma negativa... luego el juez penal de Cartago había de certificar que ese muchacho egresado de la Escuela de Derecho había muerto en un accidente varios años atrás. Seguían Álvaro Guardián Montealegre y Betulio Blanco Montero.

El argumento de los estudiantes era muy fuerte: alegaban no conocer derecho penal y estar incapacitados para llevar a buen término una defensa que requería muchos conocimientos. Y existía algo más: si ellos aceptaban la defensa, su nombre saldría en *La Nación*, *La Hora* o el *Diario de Costa Rica*.

Más de un estudiante hizo al juez una observación muy atinada: aceptar la defensa del Monstruo de la Basílica sería lo mismo que arruinar sus vidas. Era la Costa Rica de 1952, donde si acaso vivían un poco más de medio millón de habitantes.

En tanto que el juez lidiaba con abogados y estudiantes, en la poca claridad que me daba la ventanilla del calabozo, página a página, me pasaba el tiempo devorando los libros sobre derecho penal que me había enviado doña Eva Duarte de Perón desde la Facultad de Derecho de la Universidad de Buenos Aires. Fue así como un día envié un escrito al señor juez penal de Cartago, en el que le manifestaba la determinación de asumir mi propia defensa.

Para ese tiempo, sucedió que un estudiante joven expuso ante el juez que él sí aceptaba defender a los otros seis acusados del crimen de la basílica: era el estudiante de derecho Jorge Alfredo Robles Arias.

El juez aceptó mi autodefensa y podía de nuevo declarar una audiencia a las partes para dictar prisión y enjuiciamiento.

El artículo 269 del *Código de Procedimientos Penales* de 1910, vigente en 1950, autorizaba la *autodefensa*. De acuerdo con la ley, me sentía ya *defensor de José León Sánchez*. Otro artículo, el 273, daba cita de todas las potestades del abogado en un juicio y decía que el defensor intentaría todo por llevar una buena defensa.

Desde el inicio había expresado una detractación de mi declaración, pero el juez la rechazó. En tal tiempo, la aceptación de una culpa era la reina de las pruebas. *A confesión de parte, relevo de pruebas,* decía un adagio en derecho penal.

En mi caso, cuando el juez Hugo Porter Murillo preguntó por qué estaba sangrando del oído, le había manifestado que sufrí la tortura que me obligó a aceptar un crimen no cometido. El juez anotó esa declaración e hizo más: aunque no era su potestad, pues actuaba como juez que recibía un encargo del tribunal de Cartago, solicitó un examen que realizó el doctor Poveda, médico forense. Ese dictamen citaba la agresión que había sufrido.

El juez penal de Cartago no aceptó el dictamen médico que hacía nula toda actuación contra José León Sánchez. La Constitución Política de Costa Rica tiene una claridad meridiana en cuanto a que todo tratamiento de tortura nulifica la actuación judicial.

Alguna vez pienso que el juez de Cartago trataba de hacer lo posible para que la opinión pública, bien manejada por los medios de comunicación, no convirtiera al tribunal penal en lo que al final se transformó: *un basurero donde la verdad y la justicia no tenían razón de ser.*

Para el 22 de abril de 1953, el juez seguía atrapado en la imposibilidad de nombrar defensor. Sin embargo, había la idea, avalada una y otra vez por la Sala Segunda de lo Penal, de que el magistrado Víctor Manuel Elizondo, al dar la razón al juez, hacía pervivir el pensamiento que un reo puede defenderse, aunque *solamente de nombre.*

El 22 de abril de 1953, en el acuerdo de la Corte en pleno, se ocurrió una nueva idea: que el Ministerio de Justicia y Gracia propusiera al Congreso de la República una ley especial, mediante la cual se ordenara un dinero para que el juzgado penal de Cartago puediera nombrar a un abogado que se hiciera cargo de la defensa del reo José León Sánchez.

Esta historia de la legislación costarricense sobre lo que se ha denominado *la Ley José León Sánchez* es algo que semeja una anécdota en la tradición del derecho penal, y quizá también en el derecho penal americano: a las puertas del nuevo milenio, todavía a algunos abogados y estudiosos del derecho de Costa Rica se les hace insólito que el Congreso de la República haya emitido esa ley. En el *Diario Oficial* del 12 de julio de 1953 apareció la *Ley 1 602*. Por medio de ésta, el Congreso Nacional autorizaba al juez penal de Cartago para que nombrara un abogado al reo José León Sánchez y que fuera retribuido en la partida de *eventuales de la Corte Suprema de Justicia*. Quedaba a criterio de la Suprema Corte la suma de honorarios que el abogado debía ganar.

La ley estaba firmada por don Abelardo Bonilla Baldares en su calidad de presidente del Congreso y tenía un *ejecútese* del Poder Ejecutivo. Además, contaba con la firma del ministro de Gobernación y Justicia y la del Presidente de la República, Otilio Ulate Blanco.

Así, se inició una ronda extraña en busca del abogado que habría de llevar la defensa del Monstruo de la Basílica (noticieros del momento). Y de nuevo el juez no encontró al abogado. En Costa Rica no existía un jurista que quisiera empeñar su futuro en la defensa del reo.

Entonces el juez buscó una salida: un estudiante de derecho, Jorge Arturo Robles Arias, había asumido la defensa de los otros seis acusados en el caso de la basílica. En su defensa, el tema del estudiante fue que todo lo dicho por José León Sánchez era mentira. También aludía que ninguno de sus seis defendidos conocía (ni siquiera de nombre) a José León Sánchez.

El juez penal de Cartago nombró a ese estudiante de derecho defensor de José León Sánchez, pese a que eso no sustentara la *Ley 1 602*. Por supuesto, Robles Arias no aceptó y envió al juez penal una nota donde le manifestaba la imposibilidad de hacerlo, al amparo de esa ley, se nombrara a un estudiante de leyes defensor de los seis restantes acusados, y donde se alegaba que el único culpable de dicho delito era José León Sánchez.

De nuevo insistió ante el juez que éste tenía la obligación de aceptar que el reo mismo (porque así lo mandaba el artículo 269 del *Código de Procedimientos Penales*) asumiera su defensa. Previa consulta a la Sala Segunda de lo Penal, el juez terminó por aceptar que fuera mi propio defensor.

Una tradición en derecho penal dice: *reo que se defiende a sí mismo es dos veces tonto*. En este caso no tenía otra alternativa: día y noche los dedicaba al estudio del derecho penal. Tenía a favor varias opciones que en derecho son importantes. El Tribunal Penal de Cartago carecía de prueba cierta sobre participación delictiva. Según el artículo 421 del *Código de Procedimientos Penales*, el juez estaba obligado a meditar muy bien el caso. Al respecto, dicho ordenamiento legal citaba:

> Nadie puede sufrir una pena
> sino cuando el tribunal haya comprobado,
> mediante todos los requisitos legales, que el hecho
> atribuible es cierto y que en él ha tenido el reo una participación
> penada por la ley.

En el expediente no existía *una sola prueba* de mi eventual participación en el delito. Nadie manifestó que me había visto cometer el crimen. Lo único existente, mi declaración, una declaración que, estaba sobradamente probado, fue lograda por medio de torturas.

20. Cuando ataca el tiburón

El lugar de reclusión es lo que la ley denominaba Presidio Mayor; allí, cumpliendo un destino legal que jamás pobre alguno logró rehuir, iban a descontar sus penas quienes recibían sentencias mayores a los cinco años; en adelante hasta... para siempre, ya que por homicidio en primer grado la pena a imponer era indeterminada.

Presidio Mayor o Isla de San Lucas es un nombre de espanto. Cuando se habla de ella, la gente suele bajar la voz. Y en el habla popular de Costa Rica no existe mayor maldición que desear a un prójimo: "*Algún día he de tener noticias tuyas desde el presidio de San Lucas*".

El sitio es sinónimo de horror, de muerte y de tortura, tanto que este país quizá sea el único en el mundo cristiano donde no se rinde un recuerdo amable para el Evangelista de los Gentiles, llamado también Médico de las Almas, San Lucas.

Uno puede recorrer los pueblos, las calles todas y tocar en mil puertas. Ni una iglesia, ni una calle, ni una escuela, ni un lugarcito llevará el nombre del santo. Aquí, donde somos tan dados a bautizar a los niños con el nombre definido en el calendario, cuando el infante ha nacido en el día de San Lucas se brinca la fecha. Así de horribles consejas despierta el nombre del Presidio Mayor en el alma de la gente.

Esa isla fue visitada por el cronista Gonzalo Fernández de Oviedo en 1529, estando hasta entonces habitada por los indios chorotegas, quienes la llamaban Chara. Los españoles la bautizaron con el nombre de San Lucas en memoria del Golfo de San Lucar y la misma está como una piedra inmensa perdida en el Golfo de Nicoya.

En la Constitución de 1871 se abolió la pena de muerte en Costa Rica; sin embargo, la gente no estuvo de acuerdo, ya que fue una orden emanada del dictador de entonces, don Tomás Guardia. Un amigo de don Tomás dijo: "No hay que preocuparse; buscaremos una isla donde sea posible enviar a los criminales para siempre".

El 28 de febrero de 1873, una ley estableció en la isla de San Lucas el ya para siempre famoso Presidio Mayor. En 1905 tenía una fama que corría como única por todas las costas de América, digna émula del presidio francés instituido en la no menos famosa Isla del Diablo.

Es una isla de mil manzanas. Su clima es tropical, Existen meses lluviosos desde mayo a septiembre; el resto es seco con una temperatura de infierno. En tiempo de lluvia bajan varios riachuelos, pero en el verano están secos y el agua se adquiere de pozos. La tierra para sembrar es poco fértil, delgada y algunas partes de cinco centímetros. Luego solamente rocas y piedras.

Diez millas inglesas separan la isla de Puntarenas, por el norte. Al oeste existen 30 o 40 millas hasta la desembocadura del Río Jesús. Al este, se encuentra la entrada del Golfo de Nicoya y más allá está el mar abierto. Al sur, la península de Nicoya no más distante de un kilómetro.

Lo anterior significa que "por ese lado" la libertad queda a mil metros de distancia.

Cuando uno trabaja cerca de los acantilados sembrando maíz, recogiendo sorgo, espigando chan o simplemente construyendo caminos, al otro lado se escucha el eco de las voces; pero la cercanía es engañosa. Allá, al lado opuesto, donde se encuentra el penal rodeado de ametralladoras y alambradas y está distante a 10 millas de Puntarenas, en las noches muy serenas el viento también trae la conversación de la gente, la risa de los niños y el sonido de los radios. Se debe a un fenómeno que hace posible que las ondas sonoras corran sobre el mar a *distancias increíbles*. Una noche, de repente, un reo escucha su nombre nítidamente cerca de su cabeza y por ello se sobresalta; sin embargo, no sueña: es el mar, que le ha traído el eco de otro nombre igual al suyo con tanta claridad como si lo estuvieran llamando a una distancia de tres metros.

Aunque del lado de Nicoya sólo hay un kilómetro desde la costa del presidio hasta el terreno de la libertad, las fugas no son frecuentes. Se necesita algo más que valor: se requieren ciertos conocimientos marinos, que no todos los reos poseen. Se trata de las corrientes.

El Golfo se llena, poco a poco, con las corrientes de los mares que vienen de este a oeste, las cuales van a una velocidad fantástica, como suelen ser siempre las mareas. Cuando llega la vaciante, sus fuerzas son a la inversa: de oeste a este. En un lado, como un gran peñón, está San Lucas; del rumbo a Puntarenas, esa corriente tiene un ancho de tres o cuatro kilómetros. Tomando la dirección de la tierra firme más cerca, Cabo Blanco, la corriente tiene una anchura de 150 metros, pero va a una velocidad de 40 kilómetros por hora y ni siquiera una lancha de motor puede atravesarla en línea recta, sino que es necesario ir capeando la correntada. Pero existen minutos cada seis horas en que el mar es una pileta de natación: no hay corrientes.

Un reo que sea buen nadador puede llegar a tierra firme en pocos minutos, cuando han llegado los 15 minutos de la pleamar y otros tantos de bajamar, que se efectúa cada seis horas. Como la dirección del presidio sabe de ese único talón de Aquiles que posee esa isla infernal, cada seis horas hay un paro general: suena una bombeta, los soldados alistan el rifle, unos pitos inundan los montes y *nadie se mueve*. El reo que en esos 15 minutos osara moverse es hombre muerto... si es que antes hubiese logrado desprenderse del pie la cadena con su bola de hierro. La bola pesa veintidós kilos y, con el tiempo, la desnutrición o las enfermedades del hombre lo llegan a imposibilitar del todo para moverla.

186

Ha llegado al final; entonces no es raro encontrar a un reo inclinado, sentado o recostado. Cada media hora pasa el cabo de vara y le toca el corazón. Si ha llegado el momento en que ya no existen los latidos, con un pito llama al jefe de la cuadrilla de sepulturas y se lo llevan. Cada semana morían diez hombres.

Ingresé en el Presidio Mayor con una cuadrilla de cien reos, todos amarrados. Lo primero que hicieron con nosotros fue conducirnos a la herrería. Uno a uno íbamos poniendo el pie en un tocón y un herrero colocaba una argolla, de la que pendía una cadena y de ésta la bola de hierro. Para cerrarla se pasaba un pin que se aseguraba con uno o varios remaches certeros sobre la cabeza aplicados con un mazo. Sin embargo, alguna vez los herreros se equivocaban y la parte del tobillo quedaba hecha una torta de sangre y huesos, pero eso allá no tenía el menor precio. Una pierna o un hombre no importan; ni existía el significado humano en el Presidio Mayor.

Lo único verdaderamente sagrado en él eran tres cosas: el paro general de los quince minutos en marea llena o marea baja; el momento de la lista a las tres de la mañana, las doce del día y las seis de la tarde, y el momento de revisar las cadenas.

Por nuestro número iban llamándonos, uno a uno, al mismo tiempo que un cabo de vara revisaba las cadenas. Era el mundo de la tristeza en su más humillante expresión.

—Coronel, el número 725, que cumple una condena de veinte años por muerte, se hirió con una piedra en un brazo ayer a las veintidós horas. Lo llevamos a la herrería, donde el herrero le cauterizó la herida, la cual cubrió con carbolina. Esta mañana murió.

—Está bien, puede retirarse.

De esta forma el sargento encargado de las ocho bartolinas daba una novedad. A este militar le apodaban Sargento Tiburón, nunca existió apodo mejor puesto.

No estaban permitidas las visitas, ni la correspondencia. La verdad es que allá todo estaba prohibido. El régimen disciplinario durante aquella época, impuesto por el coronel, era el silencio. (Guitarras y maracas vinieron después.) Una vez cerrada la bartolina, todo ruido se castigaba con látigo. Y al recluso que sorprendieran hablando con un compañero en cualquier hora del día o la noche era azotado bárbaramente. Por eso, los reos habíamos llevado al colmo de la perfección un sistema para hablar entre dientes, casi silencioso y sin mirar jamás a los ojos del interlocutor, ya que eso sería delatarnos. A un hombre que después de las seis de la tarde sorprendiera el Cabo de Vara hablando con otro, le aplicaba el castigo del *disco*: se trataba de un hoyo cavado en el centro de las bartolinas y que tenía agua. Si llovía, las corrientes subterráneas iban llenando el pozo poco a poco y, cuando se cumplía el castigo del infeliz, a veces encontraban a un hombre que flotaba desesperadamente o, en otras ocasiones, sólo el cadáver ya infesto de una cosa que alguna vez llevó un nombre, dejó hijos, tenía alegrías y sabía sonreír.

El látigo cosa común y corriente. No sorprendía que cuando caminábamos en la madrugada rumbo a nuestro Destino de Trabajo (así se llamaban los sitios donde realizábamos nuestra labor), encontráramos a un pobre hombre que se revolcaba de dolor. Tampoco era nada extraño que la golpiza hubiese sido tan fiera que cuando regresábamos a las cinco y media de la tarde por ese mismo lugar, permaneciera todavía el mismo cuerpo rodeado de moscas, ya inerte.

Existe otro castigo muy duro, la famosa "cheja", lugar donde un hombre cabía, pero un poco inclinado para no pegar la cabeza contra el techo movible de madera que sube o desciende según la altura del reo castigado. Un hoyo a la altura de la boca le permitía recibir cada día una botella de agua y tres tortillas arrolladas. Así parado, pues las paredes eran tan estrechas que le impedían inclinarse, sentarse o acostarse, permaneciendo por varios días hasta que lo encontraban desmayado. Muy pocos soportaban sin caer en el desmayo. Las necesidades tenían que hacerlas ahí mismo, de pie, a como hubiese lugar.

No hubo enfermería ni botiquín, para los reos... pero quizá sí para el coronel, los capitanes y el teniente. En cuanto a los soldados, basta decir que para prestar servicio militar allá los conducían también como nosotros: amarrados.

El único remedio para todo fue la carbolina, que se aplicaba como panacea universal. Accidentes, fiebres, calenturas sencillas o diarreas muy comunes, todo se trataba con carbolina. Todavía, a pesar de los años, tengo como pegada en la memoria la historia de Tres Cinco Cero, un hombre que llegó en la última "manada" que desembarcó un mes atrás. Al elevar una piedra desde el acantilado, metió la pierna en un hoyo y lo mordió una serpiente terciopelo. Rápidamente se le llevó hasta la herrería y, después de zanjarle la herida con un cuchillo, le aplicaron un emplasto de carbolina y lo condujeron a la bartolina, donde habitaba con nosotros.

Tenía un amigo: el Cinco Siete Tres; para mí, Cristino a secas, quien durante el tiempo en que estuve fue como un hermano.

Cuando regresamos a la bartolina esa noche, juntos picamos un poco la herida de Tres Cinco Cero y le pusimos más carbolina. Horas después, ya en la madrugada, la pierna se le había hinchado tanto que no se distinguía la argolla de la cadena. En la madrugada se sintió atenaceado por un ataque de sed.

—Tengo sed, Dios mío, tengo sed —murmuraba en un lamento que llegaba al hueso.

Cristino, quien para mí no era un número, se acercó a la puerta enrejada y gritó:

—¡Cabo de Vara, Cabo de Vara, el Tres Cinco Cero se muere de sed!

Y no expresó más, pero fue suficiente, pues había violado la regla del silencio. Un instante después vino corriendo un Cabo de Vara y detrás de él, como si jamás durmiera, llegó el Sargento Tiburón. Tomaron por el cuello a Cristino, lo sacaron al patio y desde allá escuché vergazos, seguidos de pequeños gestos de lamento, hasta que un rato después entre dos Cabos de Vara lo tiraron adentro y el Sargento Tiburón exclamó:

—¡De noche aquí nadie habla, hijo de puta!

Cristino cayó sobre mis brazos. Yo guardaba un poco de manteca de iguana y se la unté en toda la espalda, que se veía como una muralla cruzada por las alas lúgubres del dolor. Le habían propinado una golpiza sin misericordia. Cuando tiempo después me tocó recibir algo parecido sobre mis espaldas, entonces llegué a comprender por qué se retorcía tanto Cristino.

—Un poco de agua, Dios mío, un poco de agua, tengo sed —seguía gritando el Tres Cinco Cero. Al hablar se mordía la lengua y, como se la hirió con los dientes, sorbía su propia sangre con deleite para volver después al ruego.

Así pasó una hora más. En el centro del salón, la antorcha de canfín ardía y el centinela que pasaba frente a la reja se detuvo un instante para ver si sorprendía a alguno hablando, y luego tornaba su paseo. Los demás reos, callados, miraban impasibles la agonía del desgraciado y confieso que también así lo hubiese sentido, a no ser por la inquietud llena de piedad humana que incitaba al amigo Cristino.

—El pobrecillo va a morir —decía.

—Sí, Cristino, pero ya no es nuestro problema.

—Sí, sí es nuestro problema, la isla te ha degenerado; es un ser humano.

¡Qué bueno era Cristino! Encontré en mi vida muchos seres buenos, pero nunca uno como ese pobre guiñapo de presidiario, quien no teniendo una voz para dar, fue capaz de arriesgar su propio cuerpo por otro. Nunca me enteré por qué estaba en el presidio, pero adivinaba un delito horrible, pues su cadena no tenía, como la nuestra, de veinte a cincuenta eslabones, sino setenta y cinco, que eran destinadas a quienes cometían los delitos más graves. Aún hoy, cuando escucho a las personas rellenas de oro, de chuletas, de café con leche, hablar de humanidad, regresa a mi recuerdo a la imagen de aquel hombre desgajado por el látigo que seguía pensando en la sed de un número que ya agonizaba y para quien la única piedad que debía inspirar, y rápido, era tomar el borrador en la sala de la guardia e irle borrando poco a poco: primero el tres, después el cinco y por último el cero.

En ese momento, el herido hizo un intento terrible que me paró los pelos de punta. Los demás reos, con una ansiedad un

190

tanto sádica como la de los que contemplan al torero solo en el centro de un redondel en la espera de un toro que viene contra él a decenas de kilómetros por hora en su carrera, estaban a la expectativa de si el Tres Cinco Cero terminaría su propósito. Así, en su delirio de sed, recordó que en la mitad del salón existía un medio estañón donde todos hacíamos nuestras necesidades.

Alguna vez el Sargento Tiburón, por castigo, obligaba a un hombre a que vaciara al otro día el estañón con sus manos; e incluso, lo vi tomar a un desgraciado por el pelo y sumirlo adentro hasta intentar ahogarlo.

El Tres Cinco Cero recordó que en ese estañón había... agua. Pero ¡qué agua, cuando nuestra bartolina albergaba cien hombres! El estañón estaba ya a esa hora casi lleno de orines y excrementos; pero la sed del compañero era de esas que preceden a la muerte de los envenenados por los colmillos de un ofidio.

—Agua, Dios mío, agua —y seguía avanzando, arrastrándose, hasta el centro del salón, en tanto algunos compañeros se burlaban, otros seguían una viciosa expectativa y muy pocos guardaban un silencio impresionante.

—Cristino, pero ¿lo hará?

—No, eso no lo hagas —y se lanzó a detenerlo en el momento mismo en que el Tres Cinco Cero se inclinaba sobre el estañón con las manos extendidas para hacer un cuenco con ellas. El número en ese momento intentó sumergir a la fuerza su cabeza en aquella agua pestilente ya que, aprovechando la debilidad de Cristino, se le escapó de sus manos. Entonces me lancé a ayudar un poco a Cristino y entre los dos le arrastramos hasta la tarima, donde siguió sollozando y pidiendo, en gracia de Dios, un poco de agua:

—Agua, agua, aunque sea del estañón; agua, compañeros.

No podíamos permitirle eso..., pero tampoco negarlo. Así lo entendió Cristino por el acto extraordinario que hizo. Tomando al Tres Cinco Cero entre sus brazos, lo recostó en sus piernas, estando él también sentado sobre la tarima. Abrió su bragueta y, sacando su pene, empezó a orinar entre los labios del agonizante compañero. Una hora después, el hombre estaba muerto, pero por lo menos la sed no lo había aniquilado.

Era un trabajo muy duro. Algunos compañeros laboraban todo el día con el machete desbrozando la hierba santa; los demás jalábamos piedras. Éramos como 600 reos. A las tres de la mañana, mi cuadrilla llega donde está la de los barreteros volando rocas con dinamita. Otros hombres las desmenuzaban con mazos, picos y martillos, y nosotros las uníamos para llevarlas hasta el otro lado de la isla, donde se construía una carretera. A las doce del día había un paro para el almuerzo. Los cocineros llegaban con una angarilla y de unas ollas andrajosas y sucias iban repartiendo arroz y frijoles, todo revuelto en una masa que hedía a sudor de mono, pero nos encontrábamos hambrientos. Agregaban a eso una tortilla dura y vieja pero bastante grande y una lata de aguadulce. Comíamos de pie, ya que estaba prohibido sentarse; al terminar, en un tiempo de cinco minutos, seguíamos adelante con el trabajo: las piedras al hombro, la fila india, el ruido de las cadenas al chocar contra el suelo y ese lento movimiento sincronizado con el peso de la bola.

Las horas del descanso se daban solamente cuando llegaban al ápice en el cielo. Nadie se movía, so pena de recibir un balazo.

A las seis de la tarde íbamos llegando al penal, para recibir otra ración igual a la de la mañana. El día había terminado así y nada cambiaba, ya que también era obligatorio el trabajo durante los domingos y días feriados.

A los hombres que llegaban ahí les cambiaban su personalidad por un número. Hasta el día de su libertad o de su muerte tendrían que ser un número. Si por un milagro lograban sobrevivir, esos mismos hombres ya estaban baldados e inservibles para el resto de su vida. Baldados moral y físicamente: el mal de los intestinos (una diarrea de la cual no se salvaba nadie), el escorbuto, la falta de vitaminas, el trabajo que producía deshidratación y la debilidad, negocio fácil para la muerte.

La fuga era una hermosa esperanza.

Cuando llegué a San Lucas, ya Cristino tenía tres años en el presidio y, por tanto, estaba enterado de las tradiciones. Cuando hablamos de una posibilidad de fuga, dijo:

—El mar no es malo.

Y me contó que las corrientes marinas tenían solamente dos caminos: las que pasaban cerca de las costas de la isla, algunas a pocos metros, rumbo al oeste, y seis horas después esa misma corriente volvía a pasar a pocos metros del presidio, esta vez con rumbo al mar abierto.

—De aquí a Puntarenas hay quince kilómetros, lo que significa nadar a favor de corriente bastantes horas. En el centro del golfo hay una hoya constituida por algunas de ellas que se encuentran y forman un remolino. Una vez un reo prófugo pasó tres días dando vueltas y vueltas hasta que lo encontraron. En las playas lodosas están las rayas con su aguijón de hielo que produce dolores tremendos. Las fieras marinas acechan por todos lados: está el terrible pez sierra, de hasta una decena de metros de largo, con un serrucho de puro marfil que mide dos metros. Este pez no puede masticar: pasa una vez, dos y tres y el reo queda convertido en picadillo. Se sabe de hombres a los que atacó la tintorera: es una fiera para la cual el tiburón corriente es un niño de pecho, aunque pariente de ese animal. Si por desgracia tuvieras una pequeña herida... recuerda que el tiburón olfatea la sangre a una distancia hasta de cincuenta kilómetros y se deja venir contra su presa con una velocidad que alcanza los ochenta kilómetros por hora. *No hay salvación cuando ataca este animal...* No es la primera vez que en la panza de un tiburón se encuentra la mitad de un cuerpo humano aún sin digerir, pues todos los familiares del mismo escualo, como el pez tintorera y el martillo, no mastican, sino que arrancan los pedazos y tragan.

—Y en las corrientes, ¿qué se hace?

—¿Sabes rezar? ¡Qué lastima! Porque en ese momento es necesario hacerlo.

—Te ruego que me expliques.

—En un golfo tan grande como éste, las corrientes marinas hacen también como de lavaplatos: arrastran toda clase de cosas.

193

En el mar existe una ley de supervivencia infalible: el pez pequeño se alimenta de algas, plantas, residuos vegetales o animales que los ríos o las alcantarillas lanzan al golfo. Eso en el golfo. De ahí en adelante, el pez pequeño sirve de alimento al grande. El pequeño es llevado por las crecientes y el grande va tras los pequeños. Al ir en la corriente recuerda *no nadar. La gente se ahoga en el mar porque nada.* En el mar, olas adentro, es necesario ir poco a poco dirigiendo el cuerpo a como lo va llevando la corriente. *De los reos que se han fugado en la noche nunca nadie ha vuelto a saber de ellos.* Nadie sabe nada en ese mar traicionero, que está sereno y en el cual de un momento a otro soplan los vientos del norte o azotan los vientos del sur; entonces es una caldera hirviente con olas hasta de cinco metros de alto por las que ni una lancha osa navegar.

—Y con las cadenas, ¿cómo han hecho?

—Eso se aprende...

—¿Sierras? Ni pensarlo. En San Lucas nunca existió una de ellas.

Había limas, pero tan contadas que una sola que se perdiera ponía en movimiento al Sargento Tiburón, látigo en mano, por todos los campamentos. Existía la manera de romper el pin que atravesaba la argolla, con un mazo, pero para ello era necesaria la herramienta, y los que trabajan con mazo y cincel son hombres que están prontos a recobrar la libertad (digamos dentro de cinco o seis años) y no se exponen a un castigo.

—Solamente la paciencia te puede quitar la cadena.

—¿La paciencia?

—Sí, con tus dos manos.

Miré asombrado a Cristino. ¿Cómo era posible despedazar una cadena con las dos manos? Pero existían dos formas de paciencia. Una vez algún hombre intentó una de ellas: quedar tan flaco hasta lograr sacar el pie de la argolla..., pero después la debilidad le hizo perder el equilibrio y no le permitió huir.

—¿La otra?

—Bueno..., también hay una intermedia y es como han hecho varios: irse con todo y cadena. Pero allá al otro lado está esperando el cerro Brujo, en la cordillera de Nicoya, y yo dudo que con esas cadenas se llegue largo. Por las laderas de esa cordillera se han encontrado huesos humanos y cadenas junto a ellos.

—Recuerda que el método más eficaz es la paciencia —terminó susurrando Cristino.

Once meses duré aplicando el sistema de mi amigo para quitármelas. Cuando él creía que estaba desmayando, me alentaba:

—Recuerda que las rocas de los acantilados están destrozadas por la raíz de los árboles que buscan desesperadamente el agua. ¿Te diste cuenta de aquella de un décimo de centímetro que horadó una piedra de tres toneladas?

Todos los días me dormía hasta la una de la mañana gozando solamente de una o dos horas de sueño. Primero no era fácil. Los grandes logros nunca son fáciles, ya que el camino del triunfo está erizado de una serie de fracasos que parece no finalizar nunca.

Con una piedra muy dura fui gastando poco a poco el aro que oprimía el pin bien asegurado. Y llegó la noche en que, para mi alegría, descubrí que estaba flojo, es decir, el pin ya daba vueltas sobre sí mismo.

En los tiempos de la revisión miraban el remache completo y nada más; pero si usted toma un pin y lo desgasta, llegará un momento en que la cabeza se caerá y abrirá la argolla. Era imposible hacerlo con lima, por lo difícil de conseguirla y porque los revisores sorprendían cualquier desgaste en la cabeza del pin. Sin embargo, la idea de Cristino era genial: se trataba de romper la cabeza del pin empezando desde adentro. Así, en noches y noches, durante esos once meses, en silencio, debajo de un saco de yute que servía de manta y cobija, entre mis dedos daba vueltas y más vueltas al pin sobre sí mismo y alrededor de la argolla, hasta que lo sentía tan caliente que no podía seguir operándolo; y poco a poco, la cabeza del pin se fue gastando desde abajo hacia arriba. Llegó el momento en que, según mis cálculos, en tres días estaría desgastado. Cristino, en uno de esos milagros raros, me consiguió una tapa de dulce.

—Los primeros días las patrullas recorrerán todos los ranchos de la montaña al otro lado de la isla y te será imposible llegar a uno de ellos porque te delataría la gente.

—¿Cómo sabrán que soy un prófugo?

—¡Qué pregunta más de niño! Ellos son morenos, tú eres blanco. El Estado te ha de perseguir dondequiera que te escondas. Vienes de un pueblo donde hay muchas iglesias, clubes, periódicos y ciudadanos que han jurado dedicar la vida al servicio del prójimo. En un minuto fatal te acusaron de haber dado muerte a uno de esos prójimos, y ahora ya no eres uno de ellos. Ahora tu nombre es el Uno Siete Uno Tres...

No sé de dónde sacó un pedazo de carne de tiburón, ya descompuesto, y me dijo:

—Es para que los ahuyentes.

Me enteré que esos peces huyen del olor de ellos mismos en descomposición. Ya lo averiguarían, pues, como lo anotaba Cristino, su olfato es una maravilla de la naturaleza que no encuentra igual entre la fauna marina. El último regalo era un puñado de limones agrios y un puñal.

—El peor enemigo en el mar para los prófugos es la sed y tú no sabes si vas a durar dos horas, o treinta, nadando.

Ya tenía mi plan bien dialogado con Cristino, quien le dio su visto bueno: nadar hasta una corriente y después dejarme ir en ella hasta encontrar algún tronco a la deriva.

—Si encuentras un palo y con estos limones, podrás durar hasta una semana en el mar. *Pero recuerda que en el mar no se nada y que la muerte de los náufragos se debe a su deseo de vencer al mar.*

Mi meta sería encontrar un árbol flotando y seguir el viento que condujera mi destino.

Ya el pin estaba tan desgastado que tenía miedo que, de un momento a otro, se despegara por sí solo al chocar contra algún objeto. Por las noches acomodaba las cadenas en forma tal que un eslabón no pudiera caer contra la argolla del pin y quebrarla. Según mis cálculos, bastaba darle suavemente en la cabeza para romper la cascarita, que era lo último que quedaba.

Cuando se trataba de hacer una necesidad fisiológica en los trabajos, no se permitía al reo ir a esconderse pudorosamente tras algún arbusto. Se levantaba una mano con los dedos en cruz, señal de la intención, y el Cabo de Vara autorizaba al reo a que hiciese su necesidad. Eso sí: no podía moverse mucho del lugar y, ante la mirada de todos, se bajaba los pantalones y se inclinaba. El guardián cercano que cuidaba la cuadrilla de nuestro Cabo de Vara no se preocupó mucho por mí.

Estábamos en los últimos meses del verano. Los pastos se hallaban secos. La tarde muy hermosa, como suele serlo en toda la costa. El horizonte estaba como de un blanco de leche, señal de que no vendría un sorpresivo viento-lluvia.

Calculaba que dentro de una hora iba a anochecer, y el Cabo de Vara consultaba con el guardián sobre el momento en que debíamos regresar. Sería próxima la hora de iniciar una fila india en bajada hasta donde estaba el penal. En un descuido del soldado, di con una piedra al pin y la argolla se desprendió. Entonces salté a un matorral cercano. El guardián disparó, pero ya tarde porque yo había salido de su línea de fuego. Conocía la táctica: cuando un hombre corre en determinada dirección, barren a balazos todo matorral que haya cerca de los caminos por donde se escabulló. Me lancé de cabeza en el suelo al escuchar los disparos, pero era imposible quedarme mucho tiempo porque el próximo paso sería la *cacería humana*. Es una estrategia inventada por un coronel de "ingenio" y consiste sencillamente en colocar una cadena de hombres armados de un lado a otro de la isla y luego prender fuego para que el incendio tenga que ir acorralando poco a poco al reo hasta lograr que se rinda o muera carbonizado.

Sonaron unas bombas en el penal, la señal convenida para que la guardia de las costas se ponga alerta. Sabía que ya en esos momentos los hombres buscaban afanosamente huellas de mis pasos en un anhelo de acorralarme.

Mi único deseo era llegar al mar. Hasta mi nariz llegaba un aire fresco y salado. Unos minutos más y la oscuridad sería total; se hacía fácil lanzarme al agua. Allá, mar adentro, unos botes de vela y dentro de ellos guardianes armados hacían patrulla.

Escondido tras unas rocas, muy quedito, esperaba con el cuerpo encogido. El mar lucía una paz admirable. Por toda ropa poseía un pantalón corto lleno de remiendos y en una bolsa que colgaba del cuello y atada con una manila tenía la tapa de dulce, los limones agrios y un puñal. El arma era un pensamiento infantil contra las fieras marinas, ya que he dicho que éstas atacan a muchos kilómetros de velocidad, lo cual les brinda una rapidez en el ataque que a un ser no acuático le es imposible evitar.

—El mar es bueno, bueno, pero no te fíes de él ni un minuto —me había dicho Cristino.

Allá en la playa se miraban las antorchas de los hombres que pasaban de un lado a otro como candelillas de muerte, y en el mar los botes, con sus canfineras ardiendo, parecían carbones o los ojos de fieros animales que esperaban una mínima oportunidad para devorar la presa.

—No hay que nadar, recuerda, *no hay que nadar.*

Mi destino: ir poco a poco nadando de costado hasta encontrar una corriente, y en ese instante empezó a llover. Fue una lluvia de esas que los vientos del norte o los del sur desatan en el mar cuando menos se espera. Muy tenuemente se fue acercando un ruido que se tornó más grande hasta adquirir un tono ensordecedor, como una catarata que fuese acercando: era la corriente de la que he hablado y que suena cuando se inicia la creciente o la vaciante como un río desembocado. Un tirón me jaló y sentí como si se me hubiese desprendido el hombro: era que ésta me había pescado. Desde ese momento no tendría que preocuparme por nadar, me llevaría hasta la libertad y solamente era necesario mover el cuerpo como un timón. Pero también me encontraba en mitad del peligro, porque al ver que me llevaba lejos de la isla, al oeste, comprendí que aquélla estaba creciendo. *Es cuando ataca el tiburón.* Pensaba que ahí cerca, en algún lugar del camino flotante, me estaba esperando el tiburón. ¿Dónde estaría? Sabía que a una distancia de medio kilómetro de la costa, el fondo bajaba hasta un kilómetro.

Las palabras de Cristino, con sus años de experiencia, me sonaban muy cerca.

—Si la marea está subiendo, es el momento en que todos los animales andan en busca de alimento: la tintorera, el pez sierra, el tiburón... Entonces recuerda mi consejo: no te muevas, pues si lo haces te matan. Los animales del mar solamente atacan lo que se mueve, de modo que si no hay movimiento que delate una vida, el tiburón puede pasar a tu lado sin descubrirte, pues el olfato le sirve sólo cuando hay sangre.

Veía allá, muy lejos, a pesar de la lluvia, el movimiento de las luces en los botes y en las casitas de la costa que rodean el penal. A cada instante sentía que me atacaba el tiburón. Con cualquier ola que me pegara fuerte o si una rama chocaba contra mí me sentía muerto por el espanto. Alguna vez pasaba muy junto a mí el bulto de un palo grande. Pero en el ir y venir entre la marea, los árboles pierden su cáscara y se ponen tan resbaladizos que es imposible asirse a ellos. En un intento por agarrar uno, perdí la bolsa de trapo donde tenía la tapa de dulce, los limones y el puñal.

La lluvia se fue haciendo cada vez más fuerte hasta que el mar fue una olla hirviente. Olas grandes se me tiraban encima y, por mucho que intentara cerrar la boca, los golpes me obligaban a abrirla y tragaba agua de sal. Los ojos me ardían. Sentía como si me estuvieran meciendo en un caldero de los mismos diablos. Ya me encontraba totalmente liquidado o queriéndome ahogar, pero en ese momento algo chocó contra mi cuerpo. ¡Era un palo con cáscara!, la salvación que durante varias horas estaba esperando: extendiendo el brazo lo rodeé, pero fue necesario soltarlo prestamente cuando me di cuenta, por las espinas de dos centímetros de largo, de que estaba abrazando un tocón perteneciente a un árbol de "pochote".

—Si hay sangre, ataca el tiburón.

En otras palabras, un pequeño rasguño con las espinas sería lo mismo que abrazarme a una tintorera, la cual no tardaría en llegar atraída por la sangre y me despedazaría. Un árbol —¡Dios bendito!—, pero no podía tomarlo en calidad de salvación; sin embargo, hay una alternativa. Estaba sintiendo que me ahogaba, ya no soportaba más y tal vez los tiburones no vendrían e iba a perder así la última oportunidad de salvarme. Pero también recuerdo que Cristino había dicho:

—La voluntad también salva. Es una prueba terrible, pero no debes perder la voluntad de sobrevivir, aunque te sientas atacado por una docena de tiburones.

Los músculos ya no me ayudaban, con la mano alejé el palo de mi lado y seguí a la deriva. Echado de espaldas no me fue posible, porque las olas entonces caían con más fuerza y me hundían haciéndome tragar agua, tanta que ya tenía el estómago aventado y me atacaban frecuentes vómitos. Además, una sed atoraba la garganta y a veces daba ganas de abrir la boca y tragar agua... Volví de nuevo el pecho contra las olas.

Pasó como una eternidad hasta que dejó de llover. Uno que otro relámpago hacía luz sobre el mar y allá, lejísimos, miraba la isla del penal. Una hora después, el mar volvió a su calma, entonces intenté echarme de espaldas y así sentí una placidez que invitaba a dormir. ¡Ah, si pudiera dormir! Pero también era una tentación suicida. Mantenía apretada la boca y la sed me atormentaba. Busqué la bolsa en ademán de sacar los limones hasta que recordé que la había perdido. Cuando estaba lloviendo intenté abrir la boca, pero el agua se me metía en ella y no pude beber una cucharada de agua dulce.

Así, dentro de una calma asombrosa después de una noche de tormento, empezó a nacer el alba. Allá, como a cuarenta y cinco kilómetros, distinguía la isla de San Lucas. Muy cerca de mí, tanto que casi recibía el olor, miraba los manglares. Estaba precisamente frente a una isla llamada Berrugate, la última del golfo y que se encuentra cerca de la desembocadura de un río. Traté de recobrar fuerzas para acercarme a la costa cuando en eso me enteré de algo que me llenó de terror: ¡Regresaba! La corriente que me había llevado hasta ese lugar fue la creciente y ahora la vaciante me llevaba consigo, lo cual significaba que en un momento dado esa fuerza me haría pasar a pocos metros de las costas del presidio donde me buscaban.

No quedaba más que nadar al margen derecho, donde se perfilaban las costas de Lepanto. Me encontraba precisamente en los bajos de dicho río y frente a la isla Venado, a la que me aproximaba con bastante rapidez.

Empecé a nadar al lado derecho tratando de cortar la corriente como se corta un río caudaloso. En ese momento, como a sesenta metros de distancia empezaron a brincar los "bonitos". (El "bonito" es un pez muy apetecido por toda clase de peces grandes, ya que cuando se junta con otros forma un banco.) El brinco de los "bonitos" solamente podía significar un ataque de algún animal grande. Cuando el pez ya no puede superar la velocidad de su adversario, entonces salta fuera del agua como en un intento de volar. Bajo de ellos hay tres probables enemigos: el tiburón, el pargo colorado o el pez gallo. No dudaba que los tiburones iban a dejar su presa para acercarse a mí. Entonces me quedé sin movimiento, flotando inerme como si fuera un cadáver. El mar continuó lleno de saltos, la corriente siguió su curso y, para mi desgracia, pronto me vi metido en mitad del banco de "bonitos". Eran centenares. No se asustaban, porque mi inmovilidad les hacía creer que era un palo; pero casi podía sentir que alguna vez un pez grande saltaba tras ellos y los engullía. Así, el banco de "bonitos" y yo seguimos la corriente durante una hora más o menos. Con mucha cautela levantaba la mirada y observaba la isla que se acercaba, se acercaba... ¡Era San Lucas!

Sin embargo, de un momento a otro el manto formado por centenares de "bonitos" cambió de rumbo, y yo seguí solo en la corriente. El mar estaba lleno de botes que buscaban precisamente en esta misma corriente donde yo iba, como quien dice, a dar en las mismas manos de los guardianes.

La costa en ese lugar, como a trecientos metros, se distinguía muy bien. Pero para acercarme a ella tenía que bracear y el movimiento lo divisarían desde los botes ya cerca.

Fueron los "buchones", especie de gaviotas y su costumbre, los que me salvaron. He dicho que en las crecientes los animales marinos cazan, y en las vaciantes los peces ronronean. En ese momento llegan los "buchones", maravillosos pájaros costeros que se alimentan de pescado y que en filas a veces hasta de mil de ellos hacen una cortina en el mar, acaparando todo lo que va corriente adentro. Ellos llegaron a posarse en manadas incontables frente a mí, tapando la vista de mis perseguidores. Esto lo aproveché para nadar fieramente hasta la costa. Cada instante sentía que no iba a llegar, pues tenía una debilidad de años; sin embargo, poco a poco fui dominando la corriente y una hora después, con el alma llena de sal marina, llegué a la costa.

Cierto que adelante estaba la montaña del Brujo, pero esto no me preocupó. Tenía el cuerpo totalmente desnudo, sin pantalones, los había perdido quién sabe en qué intento por alcanzar algún palo. Además de estar completamente desnudo mi cuerpo lleno de rasguños sangraba en partes. ¿Cómo no fui atacado por los tiburones? Seguramente los "bonitos", al saltar sobre el cuerpo, me hicieron esas heridas con sus espinas.

Lo peor había pasado. Me arrastré hasta unas palmeras. Me devoraba la sed. Ahí bajo las palmas había lodo, y tomando un puño de tierra mojada comencé a chuparla con un deleite único, pues la sal estaba pegada por todas las fibras de mi ser. Así, desnudo, comencé a caminar alejándome de la costa hasta topar con un riachuelo que corría al mar. Ahí metí mi cuerpo un gran rato y bebí tanta agua como creo nunca más he de volver a beber de una sola vez. Cerca estaban unos matorrales bastante escondidos y alejados del camino que va hasta Bajos Negros. Llegué a ellos y, echándome de bruces, busqué el descanso; un instante más tarde dormía profundamente.

Pasó un tiempo indeterminado hasta que muy cerca me despertaron unos gritos de alegría y sonaron unos disparos seguidos, señal de cuando una patrulla ha descubierto a un fugitivo. El Sargento Tiburón me apuntaba casi a los ojos y una risa sarcástica asomaba de oreja a oreja. Ellos siguieron mis huellas por la isla hasta el mar y así se enteraron que me había lanzado al nado. Una patrulla recorría la costa de Bajos Negros, Lepanto, Cabo Blanco, Playa Blanca, en busca de huellas como de salida del mar... y las encontraron media hora distante del lugar donde me sorprendieron desnudo, dormido.

Un grupo de ellos, gozosos, me apuntaba también. El Sargento Tiburón dio su rifle a un cabo y, tomando un látigo, comenzó a golpearme. Yo me agarraba firmemente a los matones en ademán de desesperación, para que esas nuevas fieras no descubrieran mi dolor.

Ya todo había terminado.

¡Estaba atacando el tiburón!

21. Una guitarra para José de Jesús

La historia de José de Jesús mi compañero y su guitarra sucedió hace mucho tiempo. Eran los años en que no tenía canas. Recuerdo que, fuera de la bartolina, el agua caía y caía, desmenuzada por el molino del viento-lluvia. Desde entonces algunas cosas han cambiado. Solamente mi corazón no cambia, sigue y sigue tejiendo y tejiendo sobre los recuerdos.

De tanto en tanto alguna persona buena nos tiende la mano: alguna vez las dos manos juntas, como un rescate a nuestra condición de presidiarios.

He deseado narrar los tiempos que ya se han ido, para que el lector se entere de cómo éramos los reos en Costa Rica cuando se solía contarnos como se cuentan las piedras de un camino.

El tiempo empezó a moler la mañana y la desmenuzó en gotitas de llovizna, quiebrahojuelas y silencio de polvazales, que caían, caían y caían... En muchos años jamás se nos había brindado un día libre para no trabajar. Todos los días de la semana, meses, años, siempre iguales. Lo mismo lunes, martes y domingos e iguales las nochebuenas y nochemalas.

El ambiente no era para reír, soñar o cantar. Pero nosotros reíamos, cantábamos y de tanto en tanto a empujoncitos teníamos un remedo de sueño. Era un ambiente pesado y torpe como una cadena al pie. Sí, una de esas cadenas que también llevábamos atadas al corazón. Éramos tantos reos y vivíamos en el famoso Presidio de San Lucas por allá del año...

¡San Lucas! En mi pueblo alajuelense, cuyo recuerdo es una intensa tristeza y una dulce alegría al mismo tiempo, cuando escuchábamos el nombre del Presidio de San Lucas, el pensamiento se nos hacía tiembla-tiembla.

Estábamos en el salón número 1. Es el lugar de las penas más altas, presidio en primer grado o para siempre. Aquí estamos los hombres que no saldremos nunca. Existen los salones 2, 3, 4 y así hasta el 8. Este último fue desocupado cuando ocurrió la reciente epidemia de colerín, porque todos los reos murieron en cuatro días, y hoy se encuentra llenito con las mazorcas del maíz recogidas en la pasada cosecha.

En el salón uno habitábamos los que un día fuimos acusados por haber cometido un gran robo o un gran mal. Todos teníamos la cara y los ojos muy feos, y las manos nos temblaban como cuando sobre una pocita estancada se ha dejado caer una gota de barro duro.

Todo era tétrico, maloso, sucio. Éramos hombres apilados en un salón de cemento con unos metros de fondo, cinco de ancho y tres de alto. Bastaba pegar un brinco —cuando lo permitía la cadena al pie— para tocar el cielo raso, todo negro por el humo de los candiles sobre los que en un tarro danzaban las más extrañas comidas: hierbas agrias con almejas recogidas en el desagüe de la alcantarilla, ratas gordísimas de las que cada pata adobada con ajos valía pocos céntimos.

Y una reja al frente y otra atrás. Alguna vez hubo ventanas, pero un comandante coronel mandó cerrarlas, para que el ambiente en los meses del verano se sintiera como un horno y corriera el sudor por todos lados como si fuéramos bestias estancadas.

El aire entraba por esas rejas pegajosas, negras y hediondas, y por ahí salían también las súplicas, los insultos, los lamentos de siempre. ¡De siempre! Porque el corazón del reo es como una hondonada, en cuyo fondo hay siempre una tortura impregnada que es necesario callar y masticar, como dos patas de ratones gordos cazados en el alcantarillado.

205

Algunos tenían camas de hierro, duras como el lado pobre de la conciencia; pero los más dormían en un cartón o con su espalda arrinconada en algún ángulo de los ladrillos de barro cocido... vencidos, humillados, como toros de ayer.

La remembranza tocaba alguna noche en la puerta del corazón y hablábamos de la mujer. La mujer guardada en el recuerdo del reo es siempre una hermosa fantasía. Los sabaneros rememoraban los días llenos de sol en el oro de sus jarales; sus aventuras durante las vaqueadas, pajonal adentro, hasta lugares donde el mal no llegó nunca.

—Allá en mi rancho teníamos un cuero de venado que una vez...

—Sí, en el mío, todos dormíamos en un cuero de danto que un día...

Y empezaba el cuenta-cuenta de la vida bonita que estaba allá, bien allá del mar que rodeaba aquella isla maldita.

Hasta mis ojos se asomaban también las cosas de mi pueblo, El Llano, que es un lugarcito donde Dios dejó el amor, la bondad y la belleza en cada cerco de vecindad.

Recordaba la casita de adobes donde vivía abuelita con cercos de piñuela y de la cual me sacaron con las manos atadas hacia atrás con una cuerda tan grande como nuestra miseria de hoy.

Mi casita era linda. Además de adobes y tejas, era toda limpia, con muchas matas de zacate de limón y una quebrada, donde nadaban los patos de doña Bernarda... Y camas limpias, un jarrón siempre lleno de flores sobre la cómoda y en la mesa grande un Corazón de Jesús, frente al que ardía un cirio tan azul como un camino en el cielo.

—¡Ay, ay, cómo duelen los recuerdos!

¡Ah, si yo pudiera volver atrás!

—Si de verdad pudiera salir en libertad —murmuraba Cristino— sería amigo como un sendero, callado como una piedra y con mis manos ya limpias de nuevo como esa luz que se dora sobre la frente de las montañas.

"Mi pequeño Alegría, el niño que corría por todos lados, tenía una risa así de linda.

"Es el mismo del que me habla Lucila en una carta:

De por acá te contaré un poco cada día, amado mío. Ya no tenemos la casita de antes. He tenido que vender las gallinas, el ropero, tus vestidos nuevos.

Te voy a contar del camino que va frente a la casa y que se suelta de la carretera como a desgano, todo piedras, polvo y huecos en los lados; cipreses enormes y árboles de gallinitas azules que florecen en las primeras lluvias y en las tardes, cuando ya casi es la noche, caen y caen como lágrimas.

Todas las casitas son muy pobres y por esta calle pasan los hombres que van a la montaña en busca de lana o de palmitos. Los chiquillos desharrapados cruzan por el camino que llega a la escuela, y por las noches pasan los muchachos cantando y cantando...

Al niño le estoy enseñando a decir *papá* más dulcemente para cuando regreses a nuestro lado...

"¡Cuando regreses...! La pobre esposa buena no sabe que yo jamás regresaré y que mi vida es todo esto: aquí está mi mundo para siempre. Armazones de hierro donde pululan los alepates, los piojos, la mugre. Una sábana harapienta y sucia hecha con sacos de harina muy viejos que algún día tengo la intención de lavar, cuando consiga un trocito de jabón.

"¡Un trocito de jabón!

"No sé qué pensaría mi esposa si supiera que hace ya dos años que no me baño, a no ser con la lluvia cuando vengo por estos caminos de lodo, desde los trabajaderos.

Te envío cinco pesos, de algo te servirán; quisiera poder enviarte más, pero ya tú lo sabes: la leche del niño...

Tu esposa que te recuerda en la mañana, en la tarde cuando estoy llorando y que aún no ha dejado de rezar por ti hasta que nos escuche Dios..., hasta que nos escuche Dios...

Cuando leía estas cartas de mis compañeros, ¡qué ganas me daban de gritar! Eran mis pequeñas alegrías y las leía una y muchas veces hasta que echaba brillo y después lanzaba una mirada alrededor mío, donde todo era miseria, dolor, desprecio.

¡Cien hombres! Cada uno tenía una historia narrada y recontada muchas veces. Historias de miedo, ninguna de risa, todas de vicio y de mal. Cada uno con fisonomía propia pese al ambiente. Al escucharlas, pensaba si este dolor de hoy iba más allá de nuestro merecimiento y de verdad lo estábamos necesitando como seres humanos, como se necesita una gran lección en la vida.

Ahí estaba Eusebio con su rosario de conchas que recogió en una esquina del mar (porque el mar suele tener esquinas como las del alma de los reos), y reza que reza y reza, para ver si cambia su situación. Ingresó hace años y aún espera. En las noches siempre se escucha su musitar como una oración que no termina nunca.

Allá, al otro lado del salón está Epifanio, quien se echaba sobre la cama al regresar del trabajo y, acomodando la cadena sobre el piso, empezaba a roncar:

—¡Ruuuur! ¡Rooor!

Como las ranas, allá en San Carlos, donde montaña adentro se multiplican los pantanos y en cada lodazal hay una cátedra de ranas que hacen así, a lo Epifanio, y que cuando uno se acerca se quedan calladas de repente.

Algunos miraban y remiraban las fotos de sus esposas e hijos y nunca decían nada.

Otros reían. Algunos remendaban por mil veces sus ropuchas de rayas que otrora fueron negras y blancas. Muchos tenían colecciones de mujeres bonitas pegadas en la pared, algunas de ellas desnudas del todo. Era una manera para reír-reír del señor ministro de Guerra y Seguridad Pública, quien desde hacía muchos años había prohibido la visita de las mujeres al presidio.

Cuando Esmerindo Barrios se fue libre, una noche antes, tomó un tarro de agua y con la punta del puñal comenzó a quitar con mucho cuidado una a una todas las "muñecas".

—Llegaré a mi rancho, he de pegarlas de nuevo en la pared —dijo.

—¿Y lo permitirá tu mujer?

—No tengo mujer, se marchó con otro al tercer año de mi encarcelamiento.

Claro que es hermoso tener tantas mujeres desnudas pegadas en la pared. Suele suceder que, en una u otra noche, hay un hombre que se queda mirándolas fieramente durante minutos sin fin y después, más tarde, a solas bajo la mugre de sus mantas...

Camas asquerosas de hierro.

Trapos malolientes tirados en el suelo. Hombres llenos de barba, de hambre, de odio. Hombres que buscan la forma de lograr un peso para adquirir cigarrillos o acudir a donde el Nica Barrientos para que les venda una pata de ratón y un pocillo de aguadulce y anís.

¡Es tanta y tanta el hambre!

Más que un conjunto de presidiarios, aquello parecía una bodega de huesos y pellejo. De seguro por eso fue fácil al colerín matar, en menos tiempo del que tardo en contar esto, a todos los que dormían en el salón número ocho.

Solía visitarnos el director-comandante-coronel del presidio. Usaba casco en la cabeza, tenía siempre vestidos muy blancos y calzaba unas botas negras, muy altas, que le llegaban hasta más arriba de la rodilla. En sus visitas nos miraba a todos y golpeaba pausadamente su látigo contra las botas, en tanto que nosotros, de pie, muy firmes, reíamos en un saludo grande. Un día nos espetó al ver nuestras sonrisas:

—¿Por qué sonríen cuando entro, hipócritas?, ¿es acaso que han creído que yo ignoro todo lo que me odian? ¡Bestias, asesinos, ladrones!

Pero nosotros seguíamos sonriendo con los ojos y con los dientes hasta que se marchaba.

José de Jesús, cuando el jefe visitaba nuestra bartolina, decía:

—Es un hombre malo, más que nosotros. Es perverso.

Y en verdad era malo. A su haber tenía una larga cadena de torturas, asesinatos, robos y más robos. Pasábamos mucha hambre porque él se hacía rico vendiendo el arroz y los frijoles que nos enviaban desde el Ministerio de la Guerra. También enviaban manteca, cebollas y café, pero estos alimentos eran hurtados por otros antes del ingreso a nuestra isla. Años después, cuando vino una revolución y mataron a nuestro comandante, estuvimos muy contentos durante muchos meses.

Míster Smith, un negro de Limón, tenía una guitarra de madera muy blanca que hizo con sus propias manos. Era una de las tres guitarras que existían en el penal. En las noches, a la luz de los candiles improvisados que el reo suele hacer con parafina, una lata y trapos viejos, el negro Smith tomaba su guitarra e iniciaba un rasgar interminable hasta que el sueño lo atrapaba por la cabeza y lo tiraba de bruces sobre los cartones de su camastro. Por años enteros, cada noche, iniciaba la guitarra su cantar de rin-rin, ron-ron, ran-ran. Alguna noche un compañero se acercaba, escupía tres veces un cigarro de papel (puesto que no había tabaco para mascar) e iniciaba un ronco acompañar al negro Smith. Éste conocía muy poco de música, casi nada, según expresaban los entendidos, pero mucho más que todos los habitantes del salón número 1, pues nadie más entendía de cuerdas. Pero esa guitarra, aunque vieja y mala, siempre llevaba música al presidio. Tal fue mi pensamiento.

Otros compañeros no pensaban igual y, cuando el negro iniciaba su rin-ron-ran, le tiraban trapos, cartones, palos y luego venían los denuestos, improperios, el negro no respondía nada... siempre y cuando no le tocaran su instrumento.

Smith estaba preso porque en la finca El Anono de Martina, una noche tomó a su mujer y le rebanó la cabeza como si fuera mantequilla. Ella, una mujer blanca y él aún estaba enamorado, a juzgar por las canciones llenas de melancolía con que solía envolverla en sus recuerdos.

Cuando cantaba, los ojos le daban vueltas en las cuencas como si, al son de la guitarra, también estuvieran bailando una canción ranchera... o sufriendo una pena de amor.

Después de finalizar el "concierto" de cada noche, Smith sacaba un pañuelo blanco, el único que existía en todo el presidio, limpiaba su guitarra y luego se acostaba con una mano sobre las cuerdas como si el instrumento fuera un busto de mujer.

Cuando ingresé, el director-comandante-coronel del presidio me llamó hasta su oficina para indagar detalles sobre mi vida:

—¿Sabe leer y escribir?

—Sí, mi director —y como él me mirase con extrañeza, recordé un consejo dado una hora antes por un compañero y enmendé el título—. ¡Sí, mi señor-director-comandante-coronel!

—Bueno, mañana te vas a encargar con el moreno José de Jesús en el trabajo de contar piedras.

Y desde ese día, de mañana a noche, entre José de Jesús y yo contábamos las piedras que se ocupaban para hacer de todo en el presidio: piedras para los caminos, para las cercas, para lujo. Era feliz el señor-director-comandante-coronel haciendo que una y otra vez volviéramos a empezar labores que costaron un año llevar a cabo a toda una cuadrilla de reos.

—No sirve, es una cochinada lo que han hecho, hay que empezar de nuevo —gritaba, fustigando coléricamente los flancos de su caballo "Tigre".

La obra estaba bien hecha, pero nadie lo contradecía. Solamente nos conformábamos con verle ir sobre su caballo hasta perderse allá y lo seguíamos con esa mirada de serpiente con que los reos solemos mirar a veces.

El señor-director-comandante-coronel pensaba que los presos estábamos hechos de piedra dura. Por eso nos mandaba azotar, ordenaba dar de balazos a un presidiario por cualquier cosa o, atando a un desgraciado (fracasado en un intento de fuga) a una cadena doble, ordenaba que lo echaran de cabeza al mar. Alguna vez un reo murió de los culatazos que le propinó un guardián salvaje. Nosotros elevamos un pliego de quejas al Ministerio. Entonces vino un empleado del Ministerio de Guerra y, mandándonos formar, ordenó que nos dieran de vergazos, no quedando sin castigo uno solo de los que firmamos el memorial, a pesar de que había desde ancianos de setenta años hasta muchachos de trece.

—Es un hombre malo —decía José de Jesús, en tanto le miraba con rabia.

Siete años contaba José de Jesús de estar entre rejas y, como era bastante viejo, solamente tenía como última esperanza morir pronto para llegar al Coco, nombre que tiene el cementerio en esta Isla de los Infiernos.

Nunca me contó cuál era su delito. Era un hombre viejo, mucho. Cuando su compañero de camastro, el negro Smith, comenzaba a tocar su guitarra, él se quedaba mirándolo así, a lo raro, pero nunca dijo nada. Por eso me extrañó un día que me preguntara:

—¿Cuánto cree usted que cuesta una guitarra como la del negro Smith?

—Bueno, no sé; quizá cuarenta pesos...

Esto me intrigó, pues no lo sabía amante de la guitarra, ni jamás observé que la solicitara prestada al negro como lo hacían otros. Pero José de Jesús era un cholo de las sabanas del Guanacaste, donde es usual que la gente entienda de tocar instrumentos musicales.

Cuando todos reíamos al sonar de la guitarra, José de Jesús no lo hacía. Si brindábamos un aplauso cerrado de reja a reja y de camastro a camastro, José de Jesús permanecía callado. Al quejarnos, hastiados de oír cuerdas flojas y disonantes, José de Jesús se mostraba indiferente sin decir una palabra.

—La guitarra no se puede prestar. Se presta la mujer, pero la guitarra nunca. Nosotros dejamos en ella una parte de nuestro corazón...

Y el negro Smith seguía hablando con su compañero José de Jesús, quien no le ponía cuidado a sus palabras, a veces con todos los del salón y en otras oportunidades nada más que con su guitarra, a la que daba besos y después pasaba su pañuelo blanco.

—Me va usted a hacer una carta —me dijo José de Jesús.

Debajo de unos cartones tenía "mis útiles de oficina": una revista vieja muy llena de grasar en la portada, un lápiz, borrador y un poco de papel rayado. Solía hacer cartas a mis compañeros y ellos me daban algo por el trabajo.

—Es para mi hermano: dígale que en los muchos años que tengo de estar preso nunca le he solicitado nada. Que me mande cien pesos para comprar la guitarra al negro Smith.

—¿Cien pesos para comprar la guitarra del negro Smith?

Una noche, José de Jesús le preguntó a Smith, de repente:

—¿Y en cuánto valora usted su instrumento?

Smith se quedó un ratito sin responder. Miró su instrumento, luego a los ojos de su compañero y a la guitarra de nuevo. La tocó, la acarició y después pausadamente respondió:

—Es que tú saber..., un guitarra como ser ésta valer mucho dinero, mucho. Pero, ¿saber?, si alguien me dar cien pesos...

Entonces lo habíamos tomado a broma, ya que esa guitarra vendida por quince es carísima. Con ese dinero se podrían comprar cinco instrumentos como ése.

—¿Estás loco, José de Jesús, al querer dar 100 pesos por un traste que no vale ni 20? —le reproché.

—Escriba la carta, escríbala —respondió con voz mansa, con la misma filosofía que demostraba cuando decía en el trabajo: "Estas piedras pesan más cada día; me estoy envejeciendo; todo me molesta, hasta yo mismo".

Luego miraba las piedras como solía observar al señor-director-comandante-coronel del presidio, para después quedar en silencio contando más y más piedras que dejábamos en montículos, hasta donde llegaban los compañeros acomodando sus cadenas y cargando a lo bestia, sobre sus espaldas desnudas, sólo granos y llagas que las rocas les producían.

Y enviamos la carta.

En un día de felicidad me contó:

—¡Al fin han llegado los 100 pesos!

Pero el negro Smith estaba trabajando en Hacienda Vieja y no iba a regresar de allá hasta al caer la tarde.

José de Jesús esperó toda la tarde, y cuando cerraron la reja y todos quedamos encubilados dentro del salón número 1, el negro Smith tomó su guitarra como siempre, igual que todas las noches, lo mismo cuando estaba alegre, que cuando estaba triste.

Sin embargo, antes de que afinara sus cuerdas, José de Jesús se paró frente a él y le dijo en triunfo, al tiempo que le mostraba un billete:

—Dame la guitarra.

El negro Smith miró con asombro la mano de José de Jesús y luego aclaró:

—¡Ah, la verdad es que yo decir en broma!

—¡No vale tal broma —insistió José de Jesús, mirándolo como culebra—. Me había dicho el precio y aquí están...!

Ahí estaban. Era uno de esos billetes grandes de los que ya no se usan. Nosotros, que conocíamos la debilidad de José de Jesús por adquirir la guitarra del negro, lo apoyamos a una sola voz.

—Muchachos, bueno, ser bien y tener palabra de negrito —gimió casi el negro Smith y agregó luego—: ¿También tú querer pañuelo?

—No, el pañuelo puedes quedártelo —respondió ásperamente Jesús.

El negro tomó por última vez la guitarra y, con un ademán de tristeza infinita en cada movimiento, le pasó suavemente sus manos temblorosas... Era como un adiós a la mujer bonita, a quien uno quisiera tenerle aprisionadas las manitas entre las nuestras a la hora de partir. Lanzó un suspiro donde había un inmenso reflejo de angustia. Se miraba que le daba una gran pena haberse visto tomado por una "palabra de honor" y, de ser posible, le hubiera gustado deshacer el trato. Pero ya no le era dable regresar.

Durante noches sin cuento ahí había estado su guitarra con el monótono rin-rin-ron-ron-ran-ran hasta el fastidio. ¡Pero era su guitarra! Casi me daba pena ver a aquellos dos hombres en un trato tan extraño: ambos vestidos de harapos, uno sucio y flaco, con su locura de poseer una guitarra; y el otro defendiéndola como si defendiera el amor de una mujer hermosa, sobre cuyo regazo se han pasado numerosas noches durante muchos años... Quise intervenir para que José de Jesús no la comprara. Cada noche, por días, semanas, meses y años, el negro Smith tocaba y tocaba. ¿No era lo mismo acaso para José de Jesús que todo siguiera igual? Por lo demás, era muy humano que Smith se hubiera encariñado así de tanto y tanto con su guitarra. Pero Jesús apretaba las mandíbulas y tenía extendida la mano en cuya palma estaba para Smith, como una maldición, el billete.

El negro Smith besó ardientemente su guitarra. Casi como se suele besar a una mujer en los ojos, en el nacer de sus labios, sobre el filo de su cuello de rosa, en las puntas del cabello sedoso, en el rosicler de las manos, en la curva de los senos...

¡Ah, es que para Smith su instrumento tenía caprichos de mujer y soñares de virgen! Entregándola, recibió el dinero.

José de Jesús cambió su mirada de serpiente por una expresión de triunfo. Todos lo vimos muy bien. Tomó la guitarra y, llegando hasta los parales de su cama de hierro, la hizo pedazos de un solo golpe al mismo tiempo que exclamaba:

—¡Al fin me vas a dejar en paz, guitarra de los diablos!

Luego, mansa y tranquilamente, se echó a dormir sobre su camastro.

22. *La isla de los hombres solos*

Seguramente por vivir en este lugar, mi oficio de amar a México se me ha hecho un callo en el alma. Es verdad: nuestro señor Huitzilopochtli y Tláloc trazaron en el universo la línea esmeralda que lleva este río Papaloapan y en su orilla cincelaron Tlacotalpan.

Y hubo un resto: el maestro Agustín Lara, quien nació no muy lejos de la casita de adobes que hoy habito, cuando hacía sus canciones narraba que después de la creación de Tlacotalpan, *había quedado un sobrillo:* más allá de la laguna de Alvarado, más adentro del algodón espumoso de Veracruz, cerca del silente amanecer de todos sus arreboles, y más allá de allá con el sobrante se iba a hacer México y todo lo demás. Los dioses entonces descansaron. Hoy, en que toda la alegría de mi vida me cabe en el cuenco que usa el pescador maya para limpiar su pescado, tengo que regresar en el tiempo. Así debe ser: *es la historia de los hombres.*

Desde allá —de Costa Rica— me había llegado un fax. Así, en la redonda mañana de Tlacotalpan, conocí el fallo emitido en mi favor por la Sala Constitucional de Costa Rica. El papel temblaba entre mis manos: soy libre, tan libre como las aguas del Papaloapan... más libre todavía que la huella dejada por el viento en el rostro de las mariposas. Y es que hoy (después de este minuto) cuando regrese a Costa Rica, he de poder mirar de frente la montaña donde se ha anidado la fe, sin que nadie ni nada me obligue a inclinar la cabeza.

Al fin se sabe y se grita (la prensa internacional lo ha divulgado) que en mi patria se cometió un delito cuando fui enviado a prisión por un crimen del que siempre grité mi inocencia.

Alguna vez en el Palacio de Bellas Artes, durante una conferencia, un muchacho me preguntó:

—¿Cómo escribió *La isla de los hombres solos?*

Y otro estudiante, en la cátedra de criminología del maestro don Alfonso Quiroz Cuarón, había repetido:

—¿Y por qué la escribió?

Para entonces, en esas clases de la Universidad Nacional Autónoma de México donde era invitado del maestro en cada seminario, fue el mismo don Alfonso quien respondió:

—Porque un viejo aforismo romano decía: *summum ius summa injuria.*

—¿Qué significa eso, maestro? —preguntó.

—La justicia exagerada causa *injusticia.*

Dicen que leer el libro *La isla de los hombres solos* causa dolor. Y así es desde el día en que terminé de escribirlo en 1962.

Hoy no encuentro en mi vocabulario (el vocabulario de los recuerdos) una palabra para definir lo que se siente al ingresar a un presidio como San Lucas. Bueno —hoy— después de 125 ediciones, con millones de lectores y habiendo inspirado una película, pienso que debe existir esa palabra; pero no la encuentro, o puede que sea como el destello de un horror... de todos los horrores que le caen a un joven de 20 años.

A los cuatro lustros, el hombre se apresta a vivir. No se prepara para perder la existencia por años interminables dentro de un calabozo hediondo a excrementos, sin más "derecho" que unos minutos para tomar el sol. Las bestias en los campos tienen más derechos. Es curioso, todavía hoy, a más de treinta años de haber escrito el libro, mis lectores no meditan en las palabras de la presentación. Un pensamiento que pertenece al escritor Ernesto Hello dice:

"El escritor siente en sí mismo la paradoja torturante que es ansiar un ideal y encenagarnos en una realidad miserable. Sacudiéndonos en la duda nos asienta en nuestras creencias..."

El segundo pensamiento, a forma de prólogo, corresponde a un científico investigador y escritor de mi patria: el profesor Anastasio Alfaro:

Las fiebres palúdicas dañan en tal forma el organismo de los reos que los que no sucumben en el presidio, contraen daños permanentes que los imposibilitan para volver a entrar en el concierto de los hombres libres...

...con una proporción así de 20% de muertes cada año, el criminal que vaya a San Lucas por cinco años o más lleva todas las probabilidades de dejar ahí sus huesos.

Mi maestro, guía y amigo Juan Rulfo, quien una vez llegó al Teatro Nacional de Costa Rica para dar una conferencia sobre *Pedro Páramo* y que gracias a él soy el escritor mexicano número 719 de la Sociedad General de Escritores de México, observaba: "Allá en Costa Rica la gente me habló mal de tu persona y peor de tu obra sobre el presidio. ¡Pendejos, ni siquieran merecen tener al escritor que llaman maldito!"

En aquella época, para llegar hasta el presidio desde Puntarenas no había lancha de motor, de manera que un bongo conchero de los que el pescador usa para buscar ostras en los manglares sirvió de vehículo.

Todos íbamos atados a ganchos en la borda, como en las antiguas prisiones con galeras descritas por don Miguel de Cervantes. En su mayoría iban hombres muy jóvenes, tristes y llenos de suciedad, hambre y piojos.

La primera lección fue terrible. Entre nosotros iba el famoso campesino que con un machete había matado a cuatro guardias civiles en la Zona Bananera. También él tenía manos y piernas aherrojadas con una cadena. En el muelle se nos puso en fila: una voz ronca con acento de caramelo fue llamando uno a uno:

—José León Sánchez... cuarenta y cinto años de prisión, enfile ahí...

Una vez todos al frente, un guardián de cara afilada y simiesca, llamado Chita, se dirigió al campesino sin que de parte de éste mediara una provocación:

—Entonces ¿mataste a cuatro guardias civiles?

El reo no respondió.

Chita usaba una especie de espadín y, como si el silencio del preso lo hubiese herido, la emprendió a cintarazos. Le daba a dos manos, con toda su fuerza, tratando siempre de no dañarle con el filo del espadín. El hombre cayó y el guardián siguió dándole sin proferir palabra. Su gesto estaba en la mirada, en las manos. Le daba sin odio especial... después entendí que el verdugo procede así porque *es su oficio*. El espadín se lo hincó en un ojo, el cual le estalló, manchando de sangre la cara del guardián.

Caminó ante todos nosotros y exclamó:

—Dicen que éste era un hombre muy valiente. Era... era... era —y repitió el adjetivo echando espuma por los labios—. Pero aquí no hay valientes, aquí se dejan los huevos en el muelle, aquí no hay hombres... ¡Adelante, sarnas!

Después de toda una tarde de estar inclinados en el Disco sobre nuestros tobillos, nos pasaron al comedor: era una tabla grande de veinte metros de largo, llena de moscas. Los reos iban en fila y recibían bazofia. Unos con tarros: frijoles en uno y aguadulce en el otro. Los que proveníamos de la Penitenciaría Central de San José veníamos con nuestros enseres: los dos tarros que allá siempre nos pendían de un cordel en la cintura. Otros iban a recibir los alimentos en sus manos juntas formando un cuenco.

Al final y antes de que llegase *la cuerda*, la fila de hombres que así se llama, se vaciaron las ollas y no quedó comida para nosotros. Ésa, la primera noche, fue la noche de los infiernos.

El *salón número 1* estaba destinado a los reos *para siempre*, a los que nunca han de salir libres. Esa noche, este salón, de doce metros de frente por cuarenta de fondo, acogía a prisioneros, tirados en el suelo. Las paredes estaban negras. En el centro existía un estañón partido a la mitad, donde los reos hacían sus necesidades (ahí orinaban y defecaban). Como no había papel ni trapos para el aseo, nos limpiábamos con los dedos y después aseábamos éstos en la pared. Todo el muro estaba lleno de excremento y cada mes llegaba un preso y lo aseaba.

No había campo para los recién llegados. Mi lugar para dormir eran medio metro del estañón sanitario. En la noche, alguno que otro recluso se paraba sobre mis piernas y meaba. Sus orines me salpicaban.

Esa noche me fue imposible conciliar el sueño. Junto a mí, la pestilencia inundaba todo el salón. Así iban a transcurrir los primeros dos meses de mi vida en la isla de San Lucas, sin cambio alguno.

En la noche, cada hora sonaba un riel, respondía otro y se iba desgranando el sonido alrededor de las mil hectáreas de la isla. A las cuatro en punto de la mañana sonaba una campana en la puerta de ingreso al Disco, donde en ese momento había ocho pabellones iguales al descrito.

Algo que también dolía (siempre, al principio y después...), como el hedor del estañón sanitario que deja de apestar aunque la gente de afuera note la pestilencia en nuestras uñas, cabellos y ropa, era ver a un recluso atacado de asma. Padecía de un asma sempiterna y fiera, lanzando sonidos guturales toda la noche.

Sin embargo, tres veces es suma de angustia: era un hombre al que un cáncer le corroía las entrañas. Nunca escuché un quejido igual. Luego llegué a saber que el dolor se manifestaba con lágrimas, aullidos, quejidos hondos y casi gritos. Pero este reo había lanzado lamentos desde siempre. A veces se calmaba...

El hombre ya no tenía lágrimas y entonces su quejido era nada más que el eco de un dolor... en un lugar donde no existía un doctor, ni un enfermero, solamente el dolor, el olvido.

A las cuatro en punto de la mañana, la campana tañía con rabia. Entonces se pasaba lista:

—¡El Monstruo de la Basílica!

—¡Presente!

Era el nombre que me habían dado los periodistas de *La Hora, Diario de Costa Rica, La Prensa Libre* y *La Nación*. Era un adjetivo ya famoso, que me pendía del cuello como una brasa, como un hierro.

—El hombre que se robó la Virgen de los Ángeles —repetía *La Nación*, creando un nuevo adjetivo:

—¡El Cínico!

Eso había escrito *La Nación* cuando, de una u otra forma, empecé a decir que era inocente y que todas las respuestas a la policía las había emitido bajo la sombra de la tortura.[1]

Una tortilla sin sal. Un cuenco de aguadulce.

Luego éramos conducidos a un gran patio exterior. Ahí, al reo se le entrega un machete de setenta centímetros. Y antes del alba, la fila de presos iba a trabajar rumbo a la montaña, los potreros, las ciénagas, la orilla de los pantanos donde se saca la sal.

En el mar, sobre la mar, junto al mar, las estrellas hacían como un coro y un viento acanaladito recorría la isla.

Salíamos a trabajar siguiendo una ruta señalada por la luz de unas lámparas de carburo. Las luces iban indicando una huella, como un trillo. De día, los senderos se señalaban por montones

---

[1] El periódico *La Nación* se constituyó desde sus inicios en un medio de información poderoso ante la opinión pública. "Lo dijo *La Nación*" murmuraba la gente, y era como si Dios ya se hubiera comunicado con el mundo.

En 1950, ese periódico fue un reiterado ofensor gratuito en la vida y hechos de José León Sánchez. Términos como *psicopatía, monstruosidad* y *cinismo* eran parte de la adjetivación usada por el periódico para denigrar el nombre de José León Sánchez.

En 1969, gracias a su reforma penal y procesal, José León Sánchez acudió ante los tribunales de justicia en busca de su liberación —después de veinte años de presidio, de alegar su inocencia y de explicar que en su caso se había cometido un tremendo error en la aplicación de la justicia.

Noticias en *La Nación* sobre esa solicitud encendieron una polémica. El rotativo designó a un periodista de prestigio, Danilo Arias Madrigal, y le encargó una encuesta en la que las entrevistas estaban cargadas contra la voluntad del reo.

"Dejarle en libertad —decía *La Nación*— es un insulto a la fe católica del pueblo."

"Dadle o no la libertad a José León Sánchez pero, por favor, no metáis a la Iglesia católica en esta polémica", advirtió el arzobispo de San José, Carlos Humberto Rodríguez. A mitad de la década de los noventa, este mismo periódico dio a José León Sánchez un premio como Artista Distinguido en el Campo de las Letras.

"Guarden vuestro premio —escribió el autor al rechazarlo—. El hombre no es como un perro al que se le da una paliza y luego se le tira un hueso y mueve la cola." (*N. del A.*)

de cal. Ese sendero de luz en la madrugada era extraño. Como si guiaran al reo custodiado por guardianes, con rifles máuser al hombro y con destino al mero centro de una concha, donde era engullido sin remedio.

Los trillos estaban bien señalados porque...

Un comandante de nombre Vega había descubierto una rara planta venenosa en la isla; sin embargo, esa planta no existía al otro lado, en los territorios de los campesinos llamados *zanates*. En la isla se le llama *hierba santa*. No sé por qué se llama así: es un coctel de ortiga puro, de color verde, alta, con flores blancas y rosadas. A veces su flor es tan bella que me decía: *en su corola nacen las rosas.* Tiene su textura de un filadiz, como un cabello pequeño. En su tallo y en sus hojas, miles de esos pelitos conforman la planta. Pegar contra ella es un tormento. La piel se hincha como si la hubiera picado un alacrán. En la isla escacean las serpientes, pero su ortiga se compara con el ataque de una terciopelo cuando un reo tiene la desgracia de caer en un corral de *hierba santa.*

El comandante Vega había sembrado viveros en Hacienda Vieja, Limón y El Inglés, y cultivó millones de plantas. Luego había convertido esa siembra en una trampa: algo así como un laberinto de la antigua Creta. Aquí y allá rumbo al mar y saliendo del presidio sembraron bayas de esa hierba con frentes de trecientos metros y fondos hasta de cuarenta. Era una pared de veneno. Alguna vez un reo prófugo, perseguido por los perros, se adentró en esa muralla al ir de fuga, pues buscaba refugio ahí. Fue encontrado muerto, con los ojos saltados, la piel morada, la lengua colgante, hinchado y con el producto de sus vísceras afuera.

Y también era un castigo:

El general Juan Vega ordenaba:

—¡Entra ahí!

El reo dudaba, pero el general le apuntaba con su pistola y repetía:

—¡Entra!

El maestro Juan Rulfo estaba feliz.

Nos habíamos reunido en la casa del doctor Luis Guillermo Piazza, autor de *La mafia* y fundador de la Zona Rosa. Ese día, el maestro Piazza, quien había difundido por el mundo mi libro *La isla de los hombre solos*, también se jalaba el pelo.

El doctor Piazza es jefe de editores de Editorial Novaro, la empresa creadora de libros más grande de México y del mundo. Sus talleres en Naucalpan tenían una longitud de varios kilómetros. La anécdota del doctor Piazza era extraña: la industria del libro había entrado en una rara picada. México pasaba por una de sus épocas de mala racha. El dinero mexicano bastaba, pero no para vivir bien.

Dada la contracción de la economía mexicana, don Juan Novaro envió una circular al doctor Piazza:

—Limitad el número de páginas en las nuevas ediciones.

Y la periodista Elena Poniatowska (no tan famosa en aquel entonces) anunció al maestro Piazza:

—El escritor llegará dentro de una semana de París... ¿tendrás una respuesta?

No, el doctor Piazza no tenía respuesta para el escritor y periodista que llegaría desde París, aun cuando conocía su obra y en una forma especial sus libros de cuentos: perfectos y redondos como la luna llena. *Pero publicar una novela de 1 000 páginas...*

El doctor Piazza pensaba:

—¿Cómo explicar al señor Novaro que he ordenado la impresión de una novela de mil páginas? (Era el presupuesto editorial para tres libros.)

Cuando el escritor llegó, el doctor Piazza le hizo esperar una hora. Fue el trago más amargo de su vida. La novela del escritor que llegaba desde París era *rabiosamente hermosa.*

—¿Así, así, rabiosamente hermosa? —en ese momento le pregunté.

—Es la novela de todas las novelas, pero...

Había dicho al escritor que *no* y éste, con sal en la mirada, respondió:

—Déjela, Elena Poniatowska vendrá por los originales.

Ella llegó un día por los originales de la novela y hablaron de muchas cosas menos del *no* rotundo, escudado en la circular del dueño de la editorial, don Juan Novaro.

Para dar un poco de dulce a los periodistas, el doctor Piazza les entregó una copia de las galeras de su libro. Elena había escrito uno de sus más hermosas andanzas literarias hasta el momento.

Metida en los zoampos del lago de Texcoco, la escritora había acompañado a hombres, mujeres y niños en un raro trabajo: los atrapadores de moscos que "enmillonean" los pantanos de Texcoco y que desde el alba, al orto de cada día, con manos empobrecidas los recogen para dar de comer a los pajaritos de lujo de las casas ricas.

Eso hacía reír a Juan Rulfo entre tequila y tequila Sauza, gusanitos y carnitas. El escritor que esperaba desde París era un hombre oscuro que en México, además de Carlos Fuentes, Elena Poniatowska y Piazza, pocos conocían como autor de literatura: se llama *Gabriel García Márquez*.

Allá en la redondez del tiempo, en la oficina modesta que tenía Carmen Balcells en Barcelona, le preguntaba al maestro García Márquez:

—¿Fue cierto todo eso?

—Es la historia.

Elena Poniatowska tomó el libro de las manos del doctor Piazza y lo envió a la Editorial Sudamericana de Buenos Aires... De esa forma, Novaro perdió un ingreso que bien pudo haber arreglado toda la economía de la editorial.

En tanto que Novaro rechazaba el original de *Cien años de soledad,* el doctor Piazza trabajaba ya en una edición de lujo de *La isla de los hombres solos* para celebrar la decimoquinta edición.

—Maestro Rulfo, ignoro... Para entonces no lo había leído a usted. No tenía conciencia de que en la orilla de una página, como en su cuento *Diles que no me maten,* puede existir toda una sinfonía de vida, de arte, de justicia. No lo sabía, maestro, no lo sabía.

El mote de *escritor maldito* que me ha valido ser allá en Costa Rica no existe en México.

En Costa Rica llaman *novela* al libro. *Poca gente* o ninguna sabe que es una de las obras testimoniales más tempranas de América y que fue escrita antes que *El cimarrón,* de Miguel Barnet.

No·podía ser una novela. Al respecto, Truman Capote decía:

> ...escribir es fácil, pero escribir bien cuesta mucho. Se requieren añísimos de estudio para que una persona logre escribir bien. A veces ni un título universitario le ayuda. En verdad, la universidad no da poetas, ni músicos, ni escultores, ni novelistas.

Y agregaba: "Escribir bien y llegar al arte *es casi imposible*".

Cuando allá en la tierra donde he nacido la gente insulta mi libro *La isla de los hombres solos* y se me nombra *el escritor maldito* por haberlo escrito, la victimología que me persiguió por años, se repite. En novela, lo que el autor ansía hacer es *arte* (el arte es una mentira). El gran novelista es también un exquisito mentiroso, hermano del genio, aunque no tiene la culpa si después los críticos y la gente repiten que una *mentira es una verdad que está naciendo, una verdad pequeñita.*

Escribir una novela sobre algo que es real no se vale. Esa verdad en grado mejor la pueden enseñar los biógrafos, los ensayistas, los historiadores y los periodistas. Ellos sí están atados a la verdad.

En ese sentido, si lo que narra *La isla de los hombres solos* fuera mentira, sería el mejor novelista del mundo; pero no se trata de eso. Con el tiempo me tocaría estudiar y conocer toda la literatura universal desde Babilonia, Ur, Egipto, Grecia, Roma y el Renacimiento; los monstruos del Siglo de Oro español (con el maestro Quevedo a la cabeza); toda la generación de Francia, Inglaterra y China; y los inmarcesibles escritores de la gran literatura de Estados Unidos, para lograr al fin escribir tres novelas: *La luna de la hierba roja, Tenochtitlán* y *Campanas para llamar al viento.*

Claro que nunca hubiera escrito una novela si no fuese por el estudio y el amor que he dedicado a la obra de mi maestro don Juan Rulfo. Se dice fácil, de la misma forma como Gabriel García Márquez expresó que el maestro Rulfo merecía el Premio Nobel.

—Vamos, menso de la chingada madre, ¿cómo escribiste *La isla de los hombres solos*?

La expresión del maestro Rulfo hizo reír de nuevo al maestro Piazza. Estábamos celebrando los muchos años de *Pedro Páramo*.

—¿Y sabes, hijo de la gran chingada...? En una reunión de escritores asistía una hermosa mujer. En nuestras reuniones se decía que el estilo de mis cuentos y luego el de la novela *Pedro Páramo* estaban errados. Esa mujer hermosa siempre me apoyaba... tomábamos tequila, me leyó muchas veces y luego nos íbamos a coger en el apartamento de Lerma, donde ella vivía. Era tu compatriota Eunice Odio... una de las hacedoras de poesía más grandes de la América viviente.

—Pues... maestro... más o menos fue así...

23. Nace la historia

Al leer el libro, las palabras de Cristino y las meditaciones de Jacinto constituyen unidas todo un evangelio del horror.

—Allá afuera, Jacinto, la vida es buena y es más.

—Por la libertad yo daría una mano y un ojo y quizá las dos manos y también los dos ojos.

—Es que Dios, Jacinto, siempre mira hacia otro lado...

Uno sabe muchas cosas, pero el escritor no sabe cómo ha de nacer un libro. A veces escribe por hambre, busca la fama o en pos de un premio, pero siempre, de un momento a otro, *siente* que la corola de un libro está germinándole en el alma.

Sin embargo, José León Sánchez no era escritor, sino un hombre haraposo con la más despurificada de las miserias en su vida. Y no sabía escribir.

Al ingresar en el presidio, todavía estaban frescas en la memoria de los reos los hechos de la Revolución de 1948. Y ellos contaban sobre la fuga del general Juan Vega Rodríguez, quien sabía que cuando llegaran los revolucionarios iban a lincharlo; por eso reunió a todos los presos y les gritó:

—¡Todo el que quiera ser libre, sígame!

Con una lancha de motor, cargada casi hasta el borde se dio a la fuga, no sin antes ordenar que ciertos prisioneros —quienes tenían algo importante por contar— fueran obligados a subir a bordo y luego lanzados al picante mar a la altura de las islas Caballo e Irrí.

A las cuatro de la tarde, el salón número uno está sumido en la penumbra. Entonces los compañeros encienden sus candiles y se inician una o varias conversaciones.

Esa idea fija del comandante nos tenía intrigados a todos: llevarnos a la orilla del mar día tras día, semana tras semana, año con año, para construir el malecón, una extraña obra de ingeniería donde los grandes pedrones se unían unos a otros con la fuerza de la presión. Un preso judío sefardita que estaba condenado a muchos años dirigía la obra: un malecón alrededor de la isla a la que nunca llegaba ningún barco. Los reos pasábamos también en las canteras de Limón arrancando las rocas, desgajándolas. Y luego que un malecón estaba terminado, era de ver la horondez de la mirada del comandante cuando decía:

—¡Hay que demolerlo!

Ése fue el hacer de la redada de hombres: ir a brincos, látigo y sangre, construyendo un muro alrededor del mar en muchos años, para luego demolerlo e iniciarlo otra vez: "Porque el trabajo del reo engrandece la patria, les alegra el corazón, los hace menos cerdos y para que se ganen estos perros el rancho de cada día. Como lo manda San Pablo en el *Nuevo Testamento*: *el que no trabaja que no coma*".

En noches, algunos reos, ya envejecidos de estar en la isla, narraban historias terribles del Disco, así como la actuación de los comandantes y tenientes. Esto también era una herencia; por ello, de seguro los tenientes Efraín Aztúa en la penitenciaría y Graciano Acuña en San Lucas pensaban:

—Si así fueron los maestros, así seré yo.

Y así había sido: duros como el centro de la llama que permea sobre el candil.

El Disco lo miraba siempre con temor. Había una especie de castigo sobre él: si un recluso hacía un daño menor contra el reglamento no escrito del presidio, puede que fuera obligado a estar de pie o en cuclillas por horas y horas en el Disco sin sentarse ni acostarse y frente a él un guardián con el rifle apuntándole, bajo esos soles de duro hierro, desnudo.

Existió una historia en ese Disco que no narré en *La isla de los hombres solos*. Bueno, tal vez muchas historias. Delitos graves: agredir a un compañero, herir a un soldado, violar a un recluso, tener relaciones sexuales con otro, enviar en esa isla (donde nunca nadie visitaba) una denuncia o llevar a cabo un intento de fuga frustrado y reincidente.

Antiguamente, el Disco (año 1885) fue diseñado para guardar agua, es decir, sería como una reserva de agua durante los meses calurosos en que todos los arroyuelos de la isla enmudecen y los pozos se secan. Por medio de unas canoas desde el techo, el hoyanco del Disco se llenaba de agua; pero esta cripta de agua no sirvió y quedó el hoyo desocupado hasta el día en que a un comandante se le ocurrió convertirlo en calabozo. Es una rueda de cemento y debajo de ella un sótano también redondo. En horas tormentosas asoleadas, la temperatura ahí adentro pasaba de los cincuenta y ocho grados al mediodía.

Dos soldados tomaban al reo y lo bajaban al pozo. Las historias decían: nada de agua, ni de tortilla (el pan de los penales). Al hombre lo sacaban de ahí al día siguiente o a los dos días; pero a otros se les dejaba más tiempo: salían muertos, con la piel constreñida. Noche y día se escuchaba el lamento:

—¡Agua, agua, agua, agua...!

La piel del hombre ahí deshidratada se tornaba verrugosa y oscura. El comandante tiraba el cadáver sobre el Disco y lo dejaba ahí durante días, hasta que la hediondez inundara cada pabellón y los zopilotes en los techos amenazaran en picada sobre la carne sucia y tumefacta del reo.

Otros narraban la visita que hizo la esposa de un presidente, llamado don Ricardo Jiménez Oreamuno. Un día se había aparecido en un yate. Traía tamales y papas, y junto a ella venía también un sacerdote que ofició una misa y quien dijo que Dios estaba con los presos de San Lucas.

—Si Dios quisiera hacer algo por la humanidad, cortaría la lengua a todos los farsantes que hablan en su nombre y que le han hecho tanto mal al hombre.

Era el judío quien hablaba así. No creía en la Biblia y maldecía a los 700 dioses de todas las religiones en la historia del mundo. (En México se les llama los *merolicos del hastío*.)

Entre esas historias había dos de una tradición que se repetía una y otra vez, la cual uno escuchaba y cada tanto según el relatador, cambiaba de hora y día.

Quienes más recordaban decían que la primera sucedió después de la cosecha del maíz. En lugares bajos de la isla en cuencas henchidas de un limo rico, ya desde antes los indios sembraban ahí maíz, chan y frutas. El comandante Salvatierra limpió grandes extensiones de esas bajuras y las sembraba de maíz, que vendía luego en los mercados de Puntarenas.

Existía cierto sistema para separar a los reos: en el pabellón número 1 estábamos los de *para siempre*. Llegaban reos condenados por muchos otros delitos menores y los pabellones ocho y nueve ya estaban desocupados, pues todos sus habitantes habían muerto en la última epidemia.

Esos pabellones se hallaban debajo de los salones seis y siete, los cuales fueron atiborrados hasta el tope por el comandante con las mazorcas de la cosecha. Y sucedió que un muchachote de Miramar desobedeció una orden del teniente Morales y, tomando un palo, lo agredió en la cabeza. El militar corrió al pabellón número siete, donde estaban unos reos enfermos de vómito (éste y los temblores constituían la antesala de la muerte).

El candado estaba abierto. En tanto que el teniente Morales se revolcaba de dolor en el suelo del Disco, Chico, que así se llamaba el reo, corrió al salón y cerró la bartolina con un candado. En un instante el frente de la bartolina de ingreso al pabellón se llenó de soldados con armas al brazo. Fue una situación de confusión: el candado puesto por Chico era de su propiedad y éste *tenía* la llave. Todo fue un silencio. Sólo se oía el murmullo del mar pegando duro contra los malecones en construcción. El sol también derretía el ambiente.

El comandante llegó pausadamente y le dijo:

—Bueno, *hijo mío*, debes salir...

Diez prisioneros dentro del salón también observaban en silencio. Chico no respondió, sino que enseñó un puñal hecho con una hoja gastada de rueda carretonera.

Hubo un cruce de miradas: el poder absoluto y la rebeldía total. Se miraron como fieras que no querían ceder. Pero el comandante llevaba las de ganar y dijo al preso:

—Hijo mío... debes salir...

A Chico se le habían agrandado los ojos. Los tenía rojos.

El narrador de esta historia siempre hacía énfasis en que a Chico le había llegado el momento de mirar con los ojos de la muerte y por ello nada le importaba ya.

—Contaré hasta diez para que tires la llave...

El comandante agregó:

—¡Cero!

Los soldados apuntaron. Los hombres enfermos se acercaron a la reja de la bartolina y pidieron que los sacaran. La dirección de las armas no alcanzaba hasta el cuerpo de Chico, quien se parapetó en la pared. Después todo fue como un ritual.

Recuerdo cómo el narrador, un viejo de Chomes que ya cumplía treinta años de estar en San Lucas y era profesor de todas las historias, repitió el adjetivo:

—Todo fue como un ritual...

Ya dije que el pabellón ubicado debajo de la bartolina donde estaban el prisionero rebelde y los hombres enfermos se encontraba henchido con miles de mazorcas provenientes de la cosecha, desde el piso hasta el techo.

El comandante ordenó que se prendiera fuego a la bodega del maíz y luego, acompañado por el sargento Avendaño, se marchó a Playa del Coco para pescar. Era la hora de la marea alta y las playas se llenarían de almejas en ese mes de marzo.

Una hora tardó la bodega en quemarse. Los reos enfermos comenzaron a sentir cómo el piso de la bartolina se calentaba. El salón íntegro emitió sonidos como de crujidos, como si algo estuviera desarmándose. Los reos enfermos suplicaban a Chico que tirara la llave a los soldados. Chico, que tenía la llave acurrucada

231

entre sus manos, al fin decidió entregarla a uno de los reos enfermos, quien la enseñaba a los soldados:

—Aquí está la llave, abran, abran... — y mostraba la llave.

Sin embargo, los soldados no recibían la llave, pues no estaba ahí el comandante para dar una orden o una contraorden. Nadie quería recibirla. Entonces uno de los reclusos la lanzó con desesperación:

—¡Nos estamos quemando, abran...!

La llave dio contra el rostro de un soldado y cayó a sus pies, pero nadie la levantó.

Los prisioneros seguían mirando desde sus bartolinas. Conocían al comandante y sabían de su forma de ser. A veces le llamaban el Señor del Humo. ¡Cuántas veces había enviado a quemar los chamizales de la isla para acorralar a un reo prófugo que se escondía en los breñales!

El asunto fue que el comandante no dio ninguna orden. El viejo narrador de Chomes insistía en esta parte álgida de la historia:

No había dado ninguna orden y entonces nadie debía abrir la bartolina. Chico se enfrentó a los soldados y los llamó *perros falderos, hediondos, miserables* e *hijos de puta*. Los insultó cuanto quiso. Dijo al teniente Morales que era *un maricón, un comemierda, un borracho* y que *la mierda valía más que él,* y se abría el pecho para que le dispararan. Su intención era que le dispararan para salvar así a sus compañeros, los enfermos.

Sin embargo, el teniente Morales permaneció impertérrito.

Y el viejo narrador de Chomes terminaba la historia: "El piso empezó a combarse. Todos los reos dentro del salón imploraban y gritaban una y otra vez, y volvían a gritar.

Después, un hedor de carne asada se difundió sobre el Disco. Los hombres terminaron convertidos en carne negra y desde ahí solamente se lograron sacar, luego de varios días, los huesos calcinados".

El viejo narrador de Chomes también contaba otra historia:

Froylán había llegado desde Heredia y tenía ya muchos años de estar en el penal. Zapatero de oficio, decía él, y hasta había asistido a la Escuela Normal de Heredia para ser maestro, cuando los celos lo llevaron a herir a un pretendiente de su novia. No, no lo había matado: solamente lo hirió de gravedad, pero lo enviaron por veinte años a Presidio Mayor.

—Algo que le llenaba de podredumbre el corazón fue haberse enterado, bastantes años después, que su ex novia se había casado con ese pretendiente en tanto que él cumplía una pena por muchos años.

—Mejor lo hubiera matado —respondíamos nosotros como un coro de la tragedia griega ante las enseñanzas de este juglar del penitenciario infinito.

Froylán también había aprendido a hacer peletería. En San Lucas inventó una fórmula de cal viva, aceite de tuna, cartílago de iguana y sal bermeja y era interesante ver los trabajos que hacía: disecaba culebras, monos, iguanas, peces, pájaros y arañas.

—Se miraban como vivos, los animales después de que Froylán los trabajaba.

Este reo trabajaba en las canteras de El Coco. Por ahí nadie jamás intenta una fuga, nunca, *nunquísima*. Aunque resulta fácil nadar donde cruza la corriente del Golfo de Nicoya cuando se llena o se vacía, está muy vigilada. En cada kilómetro existe un custodio cuyo rifle máuser tiene un alcance hasta de 500 metros y cubre la corriente del mar.

Froylán disecó un pelícano y con la ayuda de otros compañeros se tiró al mar, llevando el ave sobre su cabeza. Era sólo una de las muchas aves que van ahí a la deriva en busca de peces. Cuando se estaba alejando, resultó que el comandante Salvatierra vio el ave. Al pasar la cabeza del pelícano frente a él en un peñón, le lanzó... *una candela de dinamita.*

—Algún hijodeputa había denunciado a Froylán.

233

24. El premio

Fue bonito, porque la vida es hermosa, como decía la niña cuyo solo crimen fue haber nacido judía: Anne Frank. Es que todos —todos de todos y todos— los seres humanos nacemos arrimados a la rama de un árbol. Algunos cabalgan sobre ella, pero a veces la rama nos cae encima.

Así, los días felices se inician de repente, pero a veces terminan de pronto: es que la rama se nos ha quebrado, como le sucedió al negro Bomba, que era el negro más alimentado del penal. Nunca pasó hambre: vivía buscando las cuevas de las hormigas o el nido de los comejenes y se los comía como si fueran miel. Cuando llegaron las putas, Bomba murió de la forma más tonta en que un ser humano puede dejar de existir: murió *cogiendo* sobre las tetas de Blanca, la puta más remozona y hermosa de las que llegaban hasta el penal los sábados.

Marino era mi amigo, mi hermano. Ya para entonces, había escrito todo un libro sobre su drama: *Tortura: el crimen de Colima.* Marino se pasaba las horas leyendo el libro que había escrito para él, el mismo que un día miraría la luz y transformaría las leyes penales en Costa Rica.

Las cosas habían cambiado. Vivíamos la historia de la Colonia Agrícola Penal de San Lucas, y el presidio era un mal recuerdo. Joaquín Vargas Gené, ministro de Justicia en ese tiempo, hasta le había borrado el nombre a esa isla.

Ahora todo era diferente: ya visitaban las mujeres, se escribían y recibían cartas y estábamos formando una gran biblioteca. Lo único que no cambiaba era la pobreza.

El negro Bomba tenía un radio de baterías. Un marino extraviado que llegó hasta la isla al garete en busca de agua *se lo había regalado*. El negro Bomba solamente lo prendía una vez al día, a las seis de la mañana, cuando el periodista Rolando Angulo iniciaba su noticiero. Sólo escuchaba la introducción a las noticias, pues decía que debía ahorrar baterías. Sabía que si se le terminaban, nunca más podría escuchar el radio.

Y ahí salió la noticia: el Ministerio de Educación Pública convocaba a un certamen de juegos florales sobre el cuento, la novela, la poesía y la música. Recuerdo que de la noticia solamente un dato me caló: *se premiaría con 2 000 pesos al ganador del primer lugar.*

—¿Puedes imaginarlo... 2 000 pesos... 2 000 pesos...?, ¿puedes ganártelos?

Se decía que, además del dinero, también había una medalla de oro y un pergamino.

Luego indagamos más sobre la noticia. Así nos enteramos de que, desde 1938, en Costa Rica no se celebraban concursos literarios. La Guerra Mundial del 39 había interrumpido esas celebraciones culturales. Para mi gran sorpresa, me enteré de que el último festival de Juegos Florales de Costa Rica lo había ganado un escritor ya famoso para entonces, José Marín Cañas, y que el premio se le dio por escribir un cuento sobre el presidio de San Lucas titulado *Rota la ternura*.

Después conocí otras noticias. Para la década de los sesenta, la Universidad de Costa Rica había instaurado la carrera de humanidades, de modo que en ese entonces los muchachos, antes de graduarse debían cursar dos años.

Por otro lado, existía una gran revolución universitaria. Para relacionar todo lo que era la carrera de humanidades, el Ministerio de Educación había contratado desde España, provenientes de la Universidad de Salamanca, a dos notables profesores: los doctores Teodoro Olarte y Constantino Lázcares Conmeno.

El doctor Lázcares pronto se convirtió en el *sancta sanctorum* de la Gaya Ciencia Universitaria. En verdad cambió el pensar de todo el país y fue tanto el agradecimiento que se le demostró, que actualmente su nombre está entre los beneméritos de la patria. Era escritor, poeta, pintor, músico, periodista, profesor, matemático, orador y filósofo; además, tenía tres títulos de la Sorbona de París, dos de Alcalá de Henares y uno de Lovaina. Era sabio entre los sabios.

Al maestro don Constantino se atribuye la idea de que Costa Rica debe celebrar cada año el festival de artes y un concurso literario. El afamado catedrático también había escrito en castellano antiguo y en griego.

—Loco... debes participar en el concurso —me sugería Marino Hernández Ruiz, mi compañero.

Así, llegó hasta mis manos un pliego sellado del concurso en el cual se decía que si se concursaba para la rama del cuento el trabajo debía tener un máximo de trece páginas, escritas a máquina a doble espacio. Marino expresó:

—Después le decimos a Montero que te lo pase en limpio.

Y escribí un cuento, el cual titulé: *El poeta, el niño y el río*.

Montero, el contabilista del presidio, generoso como era, lo pasó en limpio. El problema fue enviar el sobre al correo: las estampillas tenían un valor de doce pesos.

—¿De dónde diablos, Marino, vamos a conseguir doce pesos para las estampillas?

—No lo sé.

Los amigos del pabellón número uno aportaron el dinero.

Y sucedió que me tocó cabalgar sobre la rama.

En el noticiero de la mañana, el mismo periodista *dio la noticia*: "*El primer premio de los Juegos Florales de Costa Rica para el año 1963 fue ganado por un presidiario: José León Sánchez*".

Logramos baterías para el radio con el fin de que el negro Bomba nos permitiera seguir escuchando noticias en los días siguientes.

236

Se dieron dos situaciones: *a) el segundo premio en el Concurso Nacional de Literatura en la rama del cuento lo había ganado el doctor Constantino Lázcares Conmeno, y b)* el jurado estaba integrado por un periodista (Guido Fernández Saborío), un escritor e historiador (Ricardo Blanco Segura) y un eminente catedrático que constituía la crema y nata de la universidad y la intelectualidad de Costa Rica (el doctor Macaya).

El doctor Macaya salvó el voto: dijo que *no era posible* que un criminal de la talla de José León Sánchez recibiera semejante honor; además, sería un insulto dar un *segundo lugar al genio de genios que era el doctor Lázcares*. Al final, el doctor Macaya renunció al jurado.

Se armó la gorda. La gente se dividía: muchos de ellos avalaban al doctor Macaya y decían que *de seguro* el criminal había encontrado una revista y plagió el cuento.

El asunto es que pasaron muchos meses para resolver el problema. Al final, el resto del jurado insistía en que se me debía dar el premio. La entrega sería en el Teatro Nacional de Costa Rica, con la presencia del Presidente de la República y sus más altas autoridades.

Bueno: al final no se me invitó al Teatro Nacional. El doctor Constantino Lázcares Conmeno recibió el segundo premio y expresó palabras muy emotivas sobre el reo que estaba en San Lucas. En el Teatro Nacional se ubicó una silla vacía con un ramo de rosas rojas...

Años antes, en el pabellón número uno me paseaba de un lugar a otro y decía en broma que un día me iban a hacer un homenaje en el Teatro Nacional y se cantaría el himno nacional de Costa Rica cuando ingresara.

Así lo soñaba lleno de mugre, henchido de piojos, humillado como ser humano hasta lo más profundo de mi ser. Y al contar esta historia, por eso dije:

—*¡En verdad, pucha, que fue bonito!*

25. El libro

Cada año llegaban las mariposas, que gustaban del tibio néctar que está en las flores de la *hierba santa*. Venían por millones y nos poníamos contentos porque *asadas* eran deliciosas con un poco de sal. Se ubicaban tantas en las ramas de los árboles que se desgajaban; llenaban las pozuelas de los criques y miles se abanicaban sobre las olas, subiendo y bajando en la espuma, ya muertas. También los pájaros de la isla hacían el festín y en los caminos semejaban un rosario interminable de flores. Cristino meditaba en ellas. Es curioso: Cristino no sabía leer ni había ido a la escuela, pero tenía palabras como las que usan los sabios. No le gustaba comer mariposas asadas sobre las brasas improvisadas con leños secos del manglar.

Las llamaba *hermanas,* cuando la ciencia no había descubierto que el ADN de una mariposa es igual al de una reina de la belleza, un sapo, la rama del tamarindo.

Cristino tenía un decir y lo hacía con frecuencia:

—Las mariposas son como el mañana: siempre llegan.

Solía exclamar también:

—Salvar una mariposa es iluminar la vida.

Y *alababa* ese poema secreto de la vida, que hacía posible que con una gotita de miel sacada por la mariposa desde la corola de la *hierba santa*, ese animalillo fuera capaz de cruzar el océano.

—¿Cómo lo sabes?

—Me lo han contado. Es como algo nuevo, algo viejo, algo que ya nace, algo que ya muere.

238

Era de meditar cada palabra de Cristino: si es verdad que con una gotita de miel sacada de la malvada *hierba santa* un ser viviente puede cruzar el océano, eso significa que —podía ser— para mañana todo en nuestra vida sería mejor.

¡Ah, pero es tan amargo al instante!

Desde que Antal Balint había salido en libertad, fui su heredero. Me había dejado una tabla, cuadernos y muchos lápices. Entonces los compañeros llegaban y decían:

—Escríbeme esta carta.

Me hice ducho en la redacción epistolar. La secretaría de la prisión había impuesto varias reglas sobre la correspondencia: cada carta debía escribirse sobre una sola cara, sin hablar mal de la isla, ni decir quejas. También, si por casualidad nos llegaba una carta de la esposa y se hablaba de la vida desesperante que la familia llevaba, no la entregaban.

Fue sorpresa para mí la solicitud de Juan Valderrama, un indio de Talamanca. Cumplía una pena de *para siempre* porque se le acusaba de haber matado a su esposa y a su hijo. Muchas veces decía *que no y que no* y lloraba. No recibió ayuda jurídica y el matón del pueblo, un tal don Miguel, logró que se le condenara.

En ese tiempo se estaban haciendo calabozos nuevos. El ingreso al Disco se encontraba lleno de sobras de las bolsas de cemento. Para mi sorpresa, Valderrama se acercó con una de ellas y me dijo:

—Quiero que me hagas una carta.

—Ah, bueno...

Me alegré. En varios días no me había llegado un cliente y por cada una de ellas cobraba cinco centavos. Saqué mi tabla, alisé el cuaderno y tomando el lápiz le dije:

—¿A quién va dirigida la carta?

—A nadie... y deseo que la escribas en esta bolsa de cemento que tengo aquí.

Estaba loco. ¿Cómo iba a escribir una carta en una hoja grande y abierta de una bolsa de cemento? Una carta así *jamás* saldría del penal. Iba a hacérselo notar cuando la segunda oferta me paró en seco:

—Si me escribes una carta aquí, así, bien grande y pones todo lo que quiero, te daré cincuenta centavos.

Lo observé un instante. Dudaba de que este indio pudiera tener tanto dinero en la bolsa. Después recordé que entre los grandes setillales tendía trampas a las iguanas y siempre regresaba de la montaña con carne de estos animales. A veces hasta hacía sopa y la vendía. Ya para esa época llevaba mucho tiempo en San Lucas y de verdad que en muchos años no había poseído ni siquiera un dólar. Claro que por medio peso...

Juan Valderrama cruzó las piernas y empezó a hablar. Tenía un acento en su voz terriblemente triste. Cada palabra era lagrimosa y todas juntas constituían el fruto de la tristeza de un hombre que ya tenía más de seis lustros de convivir en el presidio en las épocas más infernales de su historia.

Terminamos cuando se me apagó el candil. Al día siguiente continuamos y regresó al tercero. Luego lo designaron para limpiar las playas de Havillos y eso significaría que iba a regresar al presidio hasta el próximo sábado. Contaba los días de su regreso, pues no me había dado ni un cinco del trato.

—¿Qué te ha narrado? —preguntó Cristino.

—Algo muy triste...

—¿Puedes leérmelo?

Acerqué el candil y empecé a leer en alta voz para que escuchara mi compañero Cristino:

Me dice usted que ya se lo habían contado.

Bueno, es cierto que no sé leer ni escribir...

Pero alguna persona tiene que dar a conocer estas penas que he de ir contando a usted y que irán saliendo poco a poco...

Cuando terminé de leer, para sorpresa, junto a mí estaban tres compañeros más, todos en mitad del silencio. Habían seguido el hilo de lo que narró Valderrama y lo hicieron callados como si también fuera parte de su propia vida.

Al día siguiente, cuando regresamos de la fajina desde el monte y el guardia cerró la bartolina número uno, para mi sorpresa, un grupo de compañeros insistía en que leyese la carta de Valderrama. Me sentí como muy orondo y, tratando de modular las palabras, de nuevo la leí en mitad de un segundo silencio.

Creo que ni Cervantes leyó con tanto amor las palabras *en un lugar de la Mancha...* con el acento que les fui dando. Otro día era sábado. Valderrama me echó bronca, pues todo el mundo se había dado cuenta de su historia. Estaba enojadísimo, y para mi tragedia terminó respondiendo a mi pregunta:

—Bueno, aquí tienes tu carta, ¿me das el medio peso?

—¿Cuáles centavos, hijueputa, ya me has denigrado con todos, no la quiero...

—Pero Juan, Juancito, trabajé mucho con esta carta...

—Pues límpiate el culo con ella, ¡no la quiero!

Con Juan Valderrama tampoco se podía discutir mucho, pues era famoso porque una vez, muchos años antes, había matado a un compañero. ¡Ah, fueron tantos los planes que había hecho con el valor del medio peso!

Me quedé observando *la carta*. En verdad que limpiarme el culo era un buen consejo, pero no lo hice, sino que la doblé en cuatro partes y la metí debajo del cartón que me servía de colchón.

Creo que pasaron varios días y en otra tarde Cristino aconsejó:

—Lee de nuevo la carta de Valderrama.

Invitó:

—Vamos, hijueputas, que Basílico va a leer otra vez la carta de Juan Valderrama.

En esta ocasión, el silencio fue más impresionante que antes. Cuando terminé (con ésta era la séptima vez que la leía) escuché una voz que decía:

—Debes escribir otra carta.

—Cierto, cierto, con todo lo que nos ha pasado...

A la tarde siguiente, mientras afilaba mi machete sobre el mollejón frente a la guardia, Cristino observó:

—Sabes... los compañeros tienen razón... deberías escribir más cartas y para que lo hagas te he recogido otras bolsas de cemento.

Y me extendió un rollo de bolsas, abiertas todas por la mitad.

—Bueno, pero esto debe tener un nombre...

—Sí, sí, un nombre, debes titularlo *"Conviviendo con la mierda"*.

—¡Cristino!

—Es un buen título para un libro: vivimos con la mierda, somos mierda, para todos nuestro corazón es una mierda.

—Conviviendo con la mierda... me suena, me suena...

Y lo dije meditando, como si la mayor editorial del mundo me hubiese ya encargado titular el mejor de todos los libros. Pero fue Juanita —la puta dominguera que aparece en el libro— quien me dijo:

—Ustedes aquí viven solos... están solos... esta isla es sola... y creo que tu libro debe llamarse *La isla de los hombres solos*... No le hagas caso a Cristino, ése de libros ¡ni agua sabe!

Y empezaron los años de escribir el libro.

Sobre el papel no tenía problemas, pues siempre en alguna parte de la isla se estaba usando cemento. Además, llegaba a conseguir bolsas con los zanates que venían desde Cabo Blanco a la isla de tanto en tanto... El problema lo tenía con los lápices.

Usaba un lápiz hasta que ya no me cabía entre las uñas; empero, siempre llegaba el momento en que no conseguía uno más. Entonces escribía en mi memoria un capítulo y lo repetía varias veces hasta lograr que se me quedara grabado. Le daba vueltas en la cabeza y lo ponía patas arriba, patas abajo, hasta que un día me regalaban un lápiz o sólo un cabo y todo era felicidad.

Las fuentes de *La isla de los hombres solos* fueron esencialmente dos: memorias electrizantes de los compañeros en el pabellón número uno, de los encerrados *para siempre* como yo. Un día, el teniente Graciano Acuña mandó traer a la cuadrilla de reos para desalojar una bodega, en la cual de ahora en adelante el gobierno iba a guardar toda la dinamita que traía al país. Las instalaciones de la bodega estaban en El Inglés. Graciano quería tirar todo lo sucio que se guardaba en la vieja bodega para poner ahí la dinamita.

En angarillas fuimos sacando todo lo viejo. En eso miré que se iban a botar unos libracos sucios: eran los libros de guardia usados en San Lucas desde el inicio del presidio en el siglo pasado.

En el libro de guardia, el sargento anota día a día, antes de entregar su turno, todo lo que ha pasado en las horas de su trabajo, y lo firma, antes de dárselo a otro sargento, como lo hacen los capitanes con las bitácoras del barco.

Así, de un momento a otro me fui haciendo famosillo entre los compañeros. Nuestra vida era un vivir de piara... y que de pronto les naciera *un escritor* fue como una sorpresa para todos, en su gran mayoría gente sencilla, analfabeta y que habitaba la más pura redondez del odio, la miseria, la indigencia y el hambre.

Me cambiaron el nombre: ya no me decían *Basílico*, sino el *Loco del Libro*.

La obra fue creciendo y creciendo hasta que había tantas bolsas de cemento llenitas que llegaron a pesar más de veintidós kilos. Siempre andaba con mi libro enrollado, lo cubría con un plástico en los tiempos de lluvia, pero había un problema: cuando ingresaban reos nuevos, que no tenían un cartón o un saco para taparse, querían quitarme las bolsas de cemento para echarse sobre el piso. Entonces había bronca.

Creo que el mote de el Loco del Libro me lo encaramó el mismo comandante de turno, quien decía:

—Basílico está escribiendo un libro. Va a ser famoso y cuando lo termine y se lo publiquen ha de pasar vacaciones en Tumba Bote, El Limón y El Coco.

De esa forma aludía a las diferentes playas y destinos de la isla. Nunca olvidé esa burla y cuando recobré la libertad y el libro *La isla de los hombres solos* se hizo famoso, entonces recurrí a una estúpida venganza: me di cuenta de que el ex comandante trabajaba en los Talleres Toyota de San José y entonces me dediqué a enviarle tarjetas postales desde Roma, París, Hamburgo, Nueva York y Madrid. Las firmaba el *Loco del Libro*, nada más.

Un día llegó al presidio un contador nuevo. Al oír hablar del libro, me invitó a su oficina. Me hizo leerle un capítulo y se emocionó. Desde entonces en las tardes le leía en voz alta mis garabatos incomprensibles y él iba pasándolos a máquina.

Un día tenía entre sus manos un ejemplar de *La isla de los hombres solos* sacado en limpio. Ya me sentía escritor. Con su ayuda enviamos ejemplares a todas las imprentas del país, pero nunca obtuve respuesta.

Sin embargo, se me había clavado en el alma la idea de que *ese libro, mi libro,* debía salir a la luz. Era una historia extraña. *La isla de los hombres solos* fue una obra escrita *para que nunca nadie la leyera.* No estaba dirigida a editoriales, críticos, periodistas, amigos. En verdad entre mis compañeros nunca nadie la leyó; no obstante, de un momento a otro ya tenía en la mente la idea: *hay que publicarla.*

En alguna parte leí que el inventor de la imprenta Gutenberg publicaba libros usando letras de madera. Y entonces dije: *bueno, yo también podría hacer lo mismo.*

Una tarde cayó entre mis manos una revista *Mecánica Popular*; ya en el penal se había instalado un telégrafo y fue Gilberto Soto Pérez quien me la regaló. Y gozo de gozos: en ella venía una descripción exacta de *cómo se podía hacer una imprenta de madera.* La construcción también estaba descrita con gran sencillez: *un trapo de seda, una tabla y un marco de madera.*

Vamos despacio: se trataba de un polígrafo de madera.[1] Y creo que fue Juanita quien me regaló unos calzones rojos de seda, ya gastadísima por el tiempo. En el taller de carpintería, Eulolo, un carpintero que hacía guitarras, me hizo la caja.

---

[1] La máquina de madera con que el reo editó el libro *La isla de los hombres solos*, así como un ejemplar de esa edición original, se guardan hoy como un tesoro en la Biblioteca José León Sánchez de la Universidad Autónoma de Centroamérica, en San José de Costa Rica. (*N. del E.*)

El asunto ahora era conseguir el sténcil y mecanografiar la obra. El contador Montero de nuevo llegó en mi auxilio. No era buen mecanógrafo, pero sí un excelente voluntario, e imprimió las páginas tamaño oficio en los sténciles.

¿Y ahora qué? Escribí tres cartas. En San José existía un muchacho que recién había fundado una televisora: René Picado. En el periódico *La República* trabajaba un político que llegó huyendo desde Venezuela y que siempre fue amigo del gran escritor Rómulo Gallegos. Este señor, después de caminar por las calles y los campos de Costa Rica vendiendo libros, logró que su amigo Julio Suñol le consiguiera un trabajo de periodista en *La República* y ahí estaba como subdirector. Entonces me dije: *si es amigo de un escritor tan grande como Rómulo Gallegos, de seguro puede ayudar a un escritor como José León Sánchez.* Dirigí la carta al señor Carlos Andrés Pérez, quien después llegaría a ser dos veces presidente de Venezuela. La tercera carta fue enviada a un político que había estudiado en la Sorbona de París, Daniel Oduber Quirós, y me dije: *también él puede ayudar a un escritor.*[2] En mis cartas solicitaba *papel y tinta.*

[2] El gobierno del doctor Daniel Oduber Quirós, presidente de la República, nombró a José León Sánchez —año 1975— asesor en Reforma Penitenciaria. Este autor luchó por la recopilación de una serie de leyes, reglamentos y códigos que constituirían el derecho penitenciario. Abogó por una rectitud en las reglas del juego sobre los tratamientos al reo y censuró la aplicación de la pena de muerte en un país donde, contra la Constitución, es frecuente la ley fuga (muerte al fugitivo). Asimismo, León Sánchez trató de explicar que la pérdida de la libertad del hombre al caer en los fueros de la justicia y recibir una sentencia penal no necesariamente significa la pérdida de sus derechos humanos. También censuró el tratamiento espurio y la violación de los derechos humanos de los familiares del preso.

En ese año —1975—, con ayuda de la doctora Dora Guzmán Zannetti y el obispo de Tilarán, Román Arrieta logró que el Consejo de Gobierno emitiera un indulto por el Año Santo de la Iglesia Católica, y se dio el perdón a 500 reos en Costa Rica. La noticia recorrió América y otros países emitieron indulto general con motivo del Año Santo que la religión católica realiza cada 25 años.

En sus años de prisión y usando el mismo polígrafo de madera en donde se imprimió el libro *La isla de los hombres solos*, se editó un periódico quincenal denominado *El Ideal de un Día.*

Los tres dieron respuesta y uno de ellos, René Picado, llegó en persona hasta la isla para dejarme tres cajas de papel y dos galones de tinta. Entonces empezamos a *imprimir el libro*.

Un día ya teníamos cien libros, que fue la edición total, impresos página a página y después unidos los lomos de cada volumen con clavos de cinco centímetros.

El comandante decía:

—Quiero leer el primer libro.

Y cuando *terminamos* el primero, vino a recogerlo. Fue tan gentil y amable que hasta nos trajo un pichel de café con leche y un pan de cebada que el cocinero hacía especialmente para él.

Ingresé en la bartolina: sucedió que el comandante tomó el libro y esa misma tarde leyó unas cuantas páginas, pero no terminó de leerlo. Mandó al teniente Graciano Acuña a decomisar toda la edición, los cien ejemplares, y ordenó que *fueran quemados*.

Sin embargo, no me castigaron. El comandante consideró que lo dicho en el libro era una barbaridad y que insultaba a todo costarricense, a la patria, a Dios, al presidente, a la historia, a todo. Al día siguiente, me obligó a ver cómo ardían mis libros. Yo sentía que en la hoguera también se me estaba quemando el alma. Incluso mis compañeros se sintieron resentidos con la acción del señor comandante.

En la historia del *penitenciarismo activo* de Costa Rica, ese quincenario constituye el primer medio de comunicación impreso, en el que José León escribió páginas de antología alrededor de la convivencia deshumanizada en un antro de imperdonable existencia.

Páginas como las de *Cuando ataca el tiburón* y de *Una guitarra para José de Jesús* debieron formar parte de *La isla de los hombres solos*. En este libro se incluyen, respetando la narrativa que las inspiró, la conformación de su creatividad artística. Ambos trabajos son ejemplo de un virtualismo literario que harán el gozo y la meditación de nuestros lectores. (*N. del E.*)

Luego sucedió un hecho extraño, que a veces hace que la historia sea diferente de cómo el hombre la ha planeado: Graciano Acuña, el teniente verdugo, también era alcohólico; se dejó cinco libros. Ese día salió de turno hacia Puntarenas y en una cantina los vendió. Uno de ellos llegó a manos del licenciado Efraín Rojas, director de la Biblioteca de la Universidad de Costa Rica.

26. La película

La mesa amplia tenía un arreglo de flores mexicanas en el mero centro. A la cabecera de la mesa estaba sentado el Presidente de México. Cuando me tocó el turno de saludarlo y le extendí la mano, el proceder del señor Presidente se quedó grabado en la memoria para siempre. Fue el momento cumbre de mi vida, como si el corazón hubiese sido pasado de lado a lado por un rayo de luz que naciera en el lago de Texcoco y fuera a dormirse para siempre en algún chamizal florecido en las lagunas de Xochimilco.

—*Es un honor tenerlo en mi casa, en su casa, maestro, en la casa de todos los mexicanos* —y con una leve inclinación de su cabeza depositó una flor en la mano que le extendía.

El acto del señor Presidente es parte de una antiquísima tradición de los pueblos mexicanos. Desde siempre, el Tlatoani de México se inclinaba ante las personas ya grandes que hubiesen tenido un mérito. La forma de saludar era poner una rodilla en tierra, la mano izquierda sobre el suelo, y depositar una rosa en la mano del invitado.

El Presidente hizo un gesto y una muchacha vestida a la usanza de Oaxaca entregó un ramo de rosas mexicanas. La audiencia aplaudió. Me sentí pequeño. ¡Ah, cómo hubiera gustado que estuviera aquí aquella gente amiga en situaciones amorfas, oscuras, que un día también me extendieron sus manos!

Mis acompañantes eran el productor cinematográfico don René Cardona, presidente de la compañía El Real; Rodolfo Landa, director de Conacine —la compañía nacional de producción cinematográfica— y hermano del Presidente; el señor Juan Novaro, propietario de Editorial Novaro, la más grande de América Latina; Bruno Paytal, el doctor don Alfonso Quiroz Cuarón, con mil títulos de benemérito en la cultura de México, y el doctor Luis Guillermo Piazza, el Bachiller Gálvez de Televisa y el poeta Salvador Novo.

A mi vera estaba una invitada especial: la doctora Eva Palacios, quien un día antes me había guiado por las tiendas yucatecas de la ciudad de México, para ayudarme a comprar una *ropa especial* destinada a esta cita presidencial. Ella aconsejó una guayabera azul con hilos de plata y el pantalón blanco.

Semanas antes conocí a la doctora Palacios. Era la novia del científico don Ramón Fallas, emérito estudioso de la UNAM. Así también, la doctora Palacios, una mujer sabia y oriunda de Reynosa, iniciaba su camino a mi lado, el cual duraría muchos años hasta más allá de mañana.

El doctor fray Junípero Serra, sabio sacerdote del siglo XVII y último gran conquistador de España, ya estaba en el pensamiento para escribir un libro sobre su vida. Él jamás escribió en castellano y la doctora Palacios ayudaba en el Convento de San Fernando de México, en sus archivos, seleccionando cartas y traduciéndolas del latín al castellano para que me enterara de toda la vida del fraile.

Una semana antes, en el programa de Televisa llamado *Encuentro* formé parte de un panel mundial: los doctores don Antonio Beristáin, Roberto Petinato, Sergio García Ramírez, Antonio Sánchez Galindo (eminente estudioso mexicano que perdió por un voto la designación a Presidente de México) y Alfonso Quiroz Cuarón, miembro de la Sociedad Mexicana de Criminología.

Finalizado el programa, el doctor Luis Guillermo Piazza informó de la invitación presidencial a un almuerzo en Los Pinos, la residencia del señor Presidente, y me ruboricé al enterarme de que este humilde escritor era el invitado de honor.

También estábamos celebrando en México la publicación de lujo de *La isla de los hombres solos* en su medio centenar de ediciones. ¡Cincuenta ediciones! era un hecho histórico no alcanzado hasta entonces por ningún escritor en América Latina.

Había otro motivo para festejar; por ello, el doctor don Luis Guillermo Piazza y don Juan Novaro invitaron a René Cardona: en los Estudios Churubusco se llevó a cabo una alianza económica entre el gobierno de México —por medio de la compañía nacional cinematográfica Conacine— y don René Cardona para producir la película *La isla de los hombres solos*.

Una semana antes, en el hotel María Isabel, tuvimos una cena para conocer a los artistas de la película: Wolf Ruwinsky, Mario Almada, Eric del Castillo y Mariana Lobo. Nos honró con su presencia el maestro Octavio Paz, escritor de fama mundial.

Lloré de emoción cuando se me informó que el gobierno de México y la empresa privada llevarían a cabo en los Estudios Churubusco el inicio del rodaje de una película sobre lo que en carne propia me había tocado sufrir y soñar. Era también una película sobre mi vida en la isla más infame del mundo: el presidio de San Lucas.

En Los Pinos (la casa presidencial que es toda una leyenda y que quiebra la imaginación), el comedor estaba decorado con cuadros del doctor Atl y el nacimiento del volcán Paricutín. Y frente a nosotros se multiplicaba el gozo ante las obras de Siqueiros, Orozco y Rivera.

—Durante muchos años, el maestro Orozco pasó su vida en el penal de Lecumberri, ¿lo sabía usted, maestro?

Era ya la segunda vez que el señor Presidente de México, al dirigirse a mí, me honraba con el adjetivo de *maestro*.

Conocía esa historia, la había leído, sabía de la participación del muralista y maestro Orozco en la muerte de León Trotsky, pero fingí aprender. Alguna vez recibí una lección: la manifestación de humildad ante los hombres ilustres es un escudo. La sabiduría es como una marca incómoda que causa prepotencia, y no ansiaba parecer así ante el señor Presidente.

—Muchos años estuvo preso, pero al final siempre se le declaró inocente.

Y el Presidente posó sus ojos en el maestro Quiroz Cuarón, el criminalista mexicano que había logrado descubrir la verdadera identidad del español Mercader, ejecutor enviado por Stalin para asesinar a León Trotsky, amigo de Lenin y fundador del Ejército Rojo en Rusia después de la Revolución de 1917.

—También, maestros, es nuestro deseo solicitar su colaboración para apoyar al Congreso del Estado de Sonora en su empeño por suprimir la pena de muerte. La legislación de Sonora es la última en la República que todavía la mantiene en su legislación.

La invitación fue para todos nosotros, mas el Presidente miró con énfasis al maestro Quiroz Cuarón. Ahí mismo me enteré de que la presidencia había obsequiado a cada legislador de Sonora un ejemplar de *La isla de los hombres solos*.

En los próximos días, los doctores Quiroz Cuarón, Piazza y este escritor íbamos a viajar a Sonora. Un puchito de sal fue nuestra aportación y me sentí muy contento cuando *Excélsior* publicó la noticia de que Sonora abolía la pena de muerte.

La mesa en la casa del Presidente de México es espléndida. (Muchos años después me tocaría estudiar la cocina mexicana a fondo para documentar mi novela *Tenochtitlán: la última batalla de los aztecas*.) En platones de cerámica de Tlaquepaque, Jalisco, servían muslos de faisán venidos del istmo de Tehuantepec. Ahí estaban lomitos de cabrito traídos desde la frontera de McAllen-Reynosa, la tierra de los rubios naranjales y cabritos al pastor.

Orondas tortillas, con el olor de un salmo del rey David, estaban ubicadas en platones de Puebla negros y oro, así como jarras tarasqueñas llenas de tequila hasta el borde mismo. Ah, el rubio tequila, hermano de los tiempos y abuelo del coñac, el whisky, y todas las nuevas bebidas espiritosas que el europeo trajo a la Nueva España.

Ahí, servidos en un tazón decorado de flores y frutas, nadaban los pernales de pollo en mole poblano, manjar de ángeles.

En ese almuerzo había un detalle que me llenó de admiración: las cocineras susurraban las tortillas en un fogón ubicado en una esquina del comedor, junto a un ventanal donde la luz del sol ingresaba a raudales y casi se oía como suenan las cascadas. Las cocineras hacían un canto tapatío sobre el comal y daban vueltas en el aire a la tortilla antes de dejarla dorar sobre las brasas.

Era novedoso ver comer al señor Presidente. Él mismo hacía sus taquitos y los untaba de un chile serrano. Al final del almuerzo apareció doña Irma Serrano, la Tigresa, para deleitarnos con unas canciones rancheras como solamente ella sabía hacerlo. Es una mujer bellísima, pícara, con una belleza henchida de una sutileza que tienen las mujeres en Sevilla, *abanicadas* por el río Guadalquivir. No sé en ese momento por qué asocié a la ranchera Irma Serrano con el embrujo de una mujer sevillana. Son fugas cerebrales.

La mujer mexicana no tiene comparación. Está más allá de *una mujer mujer* de la cual nos cantan los poemas de Nezahualcóyotl, el gran poeta de México. E Irma Serrano es así.

En la mujer mexicana existe la tibieza del sol, la blanca candidez que baja desde los volcanes Popocatépetl e Iztaccíhuatl. Y cuando los ojos de una mujer mexicana te observan a lo hondo de los ojos, son de verdad los únicos que te miran y no se cambian por todas las joyas del mundo. Hasta en sus rabietas, las mexicanas son duras como un filo cervantino y empeñosas, al igual que los berrendos frondosos y amigos de todas las libertades en la sierra de San Francisco allá en el norte, en que la patria termina, donde comienza la patria.

El señor Presidente nos habló de las islas Marías. Fue allá para que nadie le contara la vida de los presos.

Y al final de la comida hablamos de arte.

—Maestro: he sabido que fue muy concurrido el homenaje que se le hizo en el Palacio de Bellas Artes —expresó.

Sí, era cierto, Elena Poniatowska escribió sobre esa reunión. Terminé la noche en el hotel Marlowe, el cual sería mi habitación ya siempre en México, dirigido por españoles de Zaragoza.

También fue una reunión con artistas de cine. Ahí me enteré de que el gobierno de Costa Rica había negado a Conacine el permiso para filmar la película en la isla de San Lucas.

—Rara la negativa —observé.

—El gobierno de Costa Rica impuso una obligación: que antes del inicio se diga en letras rojas que esa historia de *La isla de los hombres solos* sucedió hace muchos años...

—Es muy rara esa condición.

—Para nosotros inaceptable... filmaremos la película en un puerto de Guerrero, en Zihuatanejo.

En los próximos días estaría acompañado por el doctor Guillermo Piazza en una gira por todos los estados de México y sus universidades.

La isla de los hombres solos vivía su momento de gloria. Los lectores agotaban las ediciones una y otra vez hasta superar las setenta y cinco ediciones.[1]

En mi corazón tenía un agradecimiento por doña Irma Serrano, la famosa artista de México que después llegaría a ser senadora de la República:

—¿Alguna canción en especial desea el maestro...?

—"Solamente una vez", de Agustín Lara.

Al escribir este libro, mi edad ronda los 70 años. Ya estoy en la lista de la gente que abandona la tierra. Cuando muera, me gustaría ir a donde se encuentra Agustín Lara. De seguro, no al cielo de los religiosos, sino en cualquier camino de la eternidad, a una alquería o una tasca de las amadas por don Agustín, con un tiempo regado de tequila, de pulque, de gusanos de maguey, con una salsa del fiero chile serrano y con unos taquitos de frijol tachonados con el unto de un buen mole poblano...

[1] En octubre de 1998, *La isla de los hombres solos* ya contaba con 125 ediciones. (*N. del E.*)

27. Cuarenta y ocho años después...

¡Tlacotalpan, la bella! Es una ciudad pequeña como a medida del nido de un gorrión. Está ahí calladita y buena en la orilla del río Papaloapan.

Papaloapan es una palabra vieja, encanecida por los siglos, que en la simbología maya significa *río de las mariposas*.

En la historia universal, el nombre ingresa desde una de las páginas mugrientas que el famoso villano y genocida Hernán Cortés escribe al emperador Carlos V en mayo de 1522.

Fue aquí donde el ejército maya luchó contra los invasores, chapulines del terror, que eran los soldados españoles. En el ejército maya no existía la costumbre de luchar en una guerra y matar al enemigo. La idea era capturarlo en vida para después ofrecerlo al dios como tributo de la Guerra Florida.

El guerrero maya pronto comprendió que las reglas del invasor en cuanto a la guerra eran otras: para el soldado castellano, la lucha consistía en el aniquilamiento de los prisioneros heridos o no, la violación de mujeres y niños y en la destrucción de las culturas.

Las refriegas en el río Papaloapan enseñaron al español a no seguir luchando con la cabellera larga, pues los guerreros mayas arrastraban a los soldados jalándolos de sus luengos cabellos. Por ello los soldados españoles se cortaron el pelo y nació la historia de *los pelones*.

En Tlacotalpan se filmaron escenas de películas únicas, como *Al son de la marimba*, con Emilio Tuero y Gloria Marín. También en tiempos más modernos, los cineastas franceses rodaron *¡Viva María!* con Jean Moreau y la diva Brigitte Bardot.

Y aquí, en este pueblecito de luz, en 1900 nació el vate de América y del mundo: *don Agustín Lara Aguirre.* Así nos lo narró él.

Los periodistas del Distrito Federal (Tenochtitlan) dicen que el poeta y artista vino al mundo en el barrio del Sagrario. Ese nacimiento corresponde a un hermano que murió antes de que naciera el maestro Lara.

La Revolución, iniciada en 1910, llegó hasta los archivos de Tlacotalpan y todo fue devorado por el fuego.

Además de la memoria colectiva del pueblo que nos habla de Agustín Lara, están sus parientes, todavía viven su prima Emilia Aguirre y otros familiares. Aquí está la casita donde nació: toda de blanco, con pisos rojos. En el cuarto se mantiene un ramo de rosas rojas. También al ingresar hay un enorme ramo de claveles dentro de un vaso de cerámica de Tlaquepaque.

—¿Por qué le gustaban los claveles, las rosas y las mujeres hermosas...?

Tlacotalpan es un pequeño pueblo de caminos verdes y casitas blancas. Don Tobías Carvajal Rivera, viejo amigo de don Agustín, dice:

—Pos tan nació aquí como que yo soy de Hueyapan de Mimendi, Santiago Tuxtla, Veracruz, y tengo anotado el último día de su visita a la tierra jarocha que le vio nacer: *18 de abril de 1965.*

Algo en verdad extraño es que el maestro Lara escribió un poema poco o nada conocido sobre su pequeña ciudad y nunca le agregó música. En el pueblo, varias muchachas se lo recitan a usted de memoria:

Tlacotalpan, mantón de terciopelo donde el jarocho juega y bebe nanche...

Donde baila la bamba y a su cielo no hay un solo lucero que lo manche...

Tlacotalpan, mi sueño, mi promesa...

Espuma en el tazón de chocolate, deshilado mantel sobre la mesa y duelo de muñeca en el metate...

En el viejo portal que tanto añoro, mis primeros sueños están aún presos...

Ahí deben quedar porque te adoro,

Tlacotalpan, mi amor, nido de besos...

El río inmenso murmulla como una nube de plata; unos labios de mujer ululan el eco de mil besos; casitas de adoble y tejas, pilares y callecitas de esas que no llegan a ningún lado.

En esta ciudad —diseñada por los dioses— donde tengo un terrenito no más grande que una piedra lanzada por las manos de una niña, a finales de julio de 1988 me llegó por medio de un fax la noticia más hermosa de mi vida entera, si la vida pudiera ser vivida cien veces: *el fallo de la Sala Constitucional de la Corte Suprema de Justicia de Costa Rica*.

Son amados el momento y los momentos en que vengo a este pueblecito a recrear el espíritu, a soñar con la casa que algún día voy a construir, a sentir que el alma se me inunda de luz.

He estado cerca de aquí por mucho tiempo escribiendo un *libro* (y es que a veces siento que será el último que escriba): *Las novelas del doctor Orizaba*. Así se llamará la obra.

Gian Carlo Corte, director de Editorial Grijalbo Mondadori, y Ariel Rosales, editor, me escriben de tanto en tanto para preguntar:

—¿Ha terminado la novela?

—¿Cuándo ha de entregar el libro?, ¿lo tendremos para la próxima primavera?

Han llegado las primaveras y regresaron los otoños y todavía no lo he finalizado.

—Estará cuando lo termine —respondo, recordando la respuesta de Miguel Ángel a Julio II cuando pintaba la Capilla Sixtina.

También es un libro que de tanto amar ya me duele en el alma. La novela trata de un escritor mexicano que, a fuerza de cincel y buril, se ha grabado en la mente un pensamiento: *he de triunfar, seré famoso y se me han de brindar tantos aplausos como las glaucinias de un carmen conventual.*

El libro contiene un poco de la vida y los sueños de un creador: ya sea un emérito escritor de Tenochtitlan, un maestro marimbero de Tehuantepec, un estilista en los florilegios de la guitarra en Garibaldi... también es el dolor que va a rastras en la vida de todo artista.

En el libro escribo cinco novelas más, en las que el lector habrá de conocer al personaje y el peso de los soñares que le valen por toda la vida.

Desde 1993, en Costa Rica descubrí en Los Hatillos a un profesional de excepción: don Gerardo Rojas Solano. Lo conocí en La Conejera, una tasca camino a la serranía, donde, si usted lo pide, se le da un conejo asado con una botella de tequila. Y sus palabras fueron:

—Conozco su obra, maestro, desde que yo era un muchacho en la Facultad de Derecho de la Universidad de Costa Rica. El sueño atesorado entre las páginas de *La isla de los hombres solos* también ha sido el mío durante muchos años. Ahora que estoy viejo, me agradaría su permiso para estudiar el expediente en el caso de la Basílica de Cartago y presentarle una revisión de causa.

Se puede decir que don Gerardo fue la persona que, además de hablarme sobre el expediente, me dio la oportunidad de leerlo por vez primera y saber por qué se me había sentenciado a toda una vida de prisión.

Hasta 1993, el licenciado Gerardo Rojas había desempeñado varios cargos en el Poder Judicial: juez penal y después secretario de la Sala de Casación de la Corte Suprema de Justicia, entre otros. Su fama en Costa Rica se debe a su especialidad en llevar casos de casación y revisión de causa, especialidad que exige a los profesionales del derecho una gran maestría jurídica y en historia procesal penal.

Como una aportación especial al trabajo de dos años que llevaría a cabo el licenciado Gerardo Rojas Solano, se hizo la de una profesional amiga: la licenciada en filología doña Ahiza Vega Montero, de gran maestría en el metalenguaje de las palabras jurídicas. Ella ha analizado el adefesio de muchas sentencias y recomienda a los profesionales del derecho estudiar el idioma.

—Una sentencia justa será imposible si el juez desconoce el medio más importante para designar la verdad: *el conocimiento del idioma.*

La licenciada Vega Montero trabajó en un meticuloso estudio de las 349 200 palabras clave en el expediente treinta y cinco del Tribunal Penal de Cartago, iniciado en 1950 y finalizado en octubre de 1955 con la sentencia de la Sala Segunda de lo Penal de la Corte Suprema de Justicia. Analizó en forma muy especial el contenido de los folios del proceso del 976 al 994. Encontró que desde el inicio del juicio, el Tribunal Penal de Cartago había instruido los autos, conformando lo que ellos llamaron *la prueba* en una forma plural: *en el transcurso de la realización del delito, sus autores hicieron-actuaron-tomaron.*

El expediente íntegro estaba estructurado con base en la acción de una pluralidad de actuaciones; en otras palabras: el delito fue la acción de varios, no de una persona.

Los jueces de la Sala Segunda de lo Penal, al reformar la sentencia del Tribunal Penal, mantuvieron *siempre* la pluralidad de todos los actos... pero, en el momento de dictar sentencia, fallaron en singular: *hizo-actuó-tomó y sentenciaron no a varios, sino sólo a uno: José León Sánchez.*

El análisis de filología denotaba a lo largo de mil folios un anhelo de parte de los tribunales de justicia por resolver el expediente número 35 en la forma más deseable a la opinión pública. Y ésta, movida con insistencia por la prensa, clamaba por la pena de muerte para José León Sánchez. En Costa Rica no existía la pena de muerte; pero de existir, no hay la menor duda de que se me habría aplicado.

El estudio comparativo lingüístico de la licenciada Vega Montero ya estaba en manos del jurista Rojas Solano. Don Gerardo se ocupó de un estudio que lo llevó a redactar una solicitud de 700 folios en los que alegaba la inocencia del reo Sánchez Alvarado.

La presentación de los alegatos era posible por la existencia de la Sala Constitucional de la Corte Suprema de Justicia, institución jurídico-penal recién creada por una reforma a la Constitución.

En 1969, faltando sólo unos meses para cumplir veinte años de reclusión (o 30 años penitenciarios), había logrado la libertad. El Presidente de la República en ese entonces, don José Joaquín Trejos Fernández, me otorgó la libertad de conformidad con el artículo 158 del *Código Penal*, que permitía liberar a un condenado a prisión cuando al aplicarse una sentencia hubiere existido *error evidente en la aplicación de la ley.*

Recobré la libertad en 1969, pero los tribunales no declararon mi inocencia. Llegué a ser en Costa Rica algo así como *el dechado de un ejemplo*, el hombre que se había *regenerado* en la prisión y que salió de ella convertido en escritor, autor de grandes éxitos, cuyas obras estaban en las librerías de Nueva York, Buenos Aires, Moscú, Berlín, México y Suiza. Y cuando la gente me miraba, decía:

—Mirad a ése... es el que se robó la Virgen de los Ángeles y ahora es un escritor de fama internacional...

Lo curioso del adjetivo es que jamás nadie me acusó ni fui sentenciado por un delito de ese tipo, pues la Virgen Sagrada de Nuestra Señora de los Ángeles nunca fue robada; sin embargo, ésa era la definición de los periodistas y así iba cargando sobre mi rostro tal sambenito social.

Los alegatos presentados por el penalista Gerardo Rojas Solano tenían como fundamento un análisis de la sentencia y de todo el procedimiento judicial llevado en mi contra. El jurista alegaba que en mi caso existía una violación evidente de la *Declaración Universal de los Derechos Humanos* y de la *Declaración de los Derechos Humanos y Civiles del Pacto de San José.*

En ambos casos, tal como lo consagraba la Constitución vigente en 1955, toda sentencia aplicada con base en la tortura es nula. También está lleno de nulidad todo procedimiento judicial en el que no se respete el derecho a la defensa.

En Costa Rica, una revisión de causa se debe presentar ante la Sala de Casación de la Corte Suprema de Justicia, y cuando se base en los derechos humanos constitucionales, la Sala de Casación está obligada a elevar la solicitud al tribunal de mayor jerarquía judicial: la Sala Constitucional de la Corte Suprema de Justicia. Una primera audiencia en este caso se dio el 8 de junio de 1997.

Cinco magistrados de la Sala de Casación nos brindaron audiencia para que a viva voz sustentáramos nuestro alegato inicial.

También era parte de esa audiencia el Ministerio Público, en representación del Estado de Costa Rica.

El licenciado don Gerardo Rojas hizo una exposición en la que alegaba en forma jurídica cómo en mi caso existió una violación de *todos* mis derechos humanos no solamente en el juicio en sí, sino también en el tratamiento penitenciario que se me aplicó, incluida la incomunicación durante casi cinco años en una celda carente de luz. (La legislación costarricense solamente permitía una incomunicación por 24 horas y un máximo de 70 con una orden judicial.) Al respecto, expresé:

Honorables señores magistrados: sé muy bien que éste es un juicio histórico, un juicio sobre la verdad. He tenido una vida honorable y ejemplar. No es cierto que sea un hombre rehabilitado. Pasé 20 años de mi vida en ergástulas, basura donde el respeto humano no existe, donde la Constitución y los derechos del hombre son valorados como simple desecho...

Y terminé mi exposición citando que en la aplicación de los derechos jurídicos del hombre, en Costa Rica (y en muchos países), el juicio está siempre *viciado por la falta de equidad*. No existe un equilibrio entre la defensa del reo y los poderes con que cuenta el tribunal.

—Toda sentencia impuesta a un reo sin que haya mediado en su defensa la presencia técnica de un profesional estará siempre plagada de nulidad.

La policía, la fiscalía y el tribunal contarán siempre con personas de gran valía profesional que tienen a su alcance todos los elementos científicos. El reo nunca ha de contar si carece de los medios económicos para contratar a un profesional especialista en derecho penal.

El día de hoy, señores magistrados, se encuentran ustedes ante un hombre que siempre fue inocente. Los hijos de cada uno de ustedes que estudian en colegios y universidades deben leer mis obras literarias. Y esos hijos las leen no porque haya encontrado rehabilitación en las pocilgas inhumanas, hasta donde algunos colegas de ustedes me enviaron en la mitad de una negra noche henchida de injusticia y de prejuicios. Ellos deben leer por qué me convertí en el escritor de una nación, de un continente, donde lo único que cuenta es la calidad de artista que se pueda llevar en mitad del espíritu y más adentro del corazón.

Y terminé con palabras que eran toda una oración: "Señores magistrados, soy inocente, gracias".

Ahora tocaba —más allá de las once de la mañana— que los magistrados escucharan cuál era la posición del Estado de Costa Rica.

Se dio la palabra al doctor don Gerardo Pacheco Mena, especialista en derecho penal de la Corte Suprema de Justicia. Su exposición representaba al Ministerio Público, la Fiscalía General de la República de Costa Rica, que es la institución llamada para acusar al reo y defender el principio de justicia en nombre de una nación soberana:

Señores magistrados:

El proceso seguido a José León Sánchez estuvo plagado de violaciones al derecho de defensa y debido proceso, de ahí que solicitamos en la Fiscalía General de la República, como representante del Estado, que la sentencia contra José León Sánchez se anule.

Señores magistrados: las arbitrariedades que se cometieron durante todo el proceso son obvias, evidentes, inobjetables e indiscutibles...

Señores magistrados: ¿cómo puede defenderse una persona acusada de un hecho cuando éste no se le ha puesto en su conocimiento?

Si para ese momento José León Sánchez era un monstruo, considero que fue más monstruoso el que fuera condenado sin haber tenido la oportunidad de ser asistido por un defensor.

Señores magistrados: el Ministerio Público se pronuncia en este sentido: que la Sala de Casación de la Corte Suprema de Justicia acoja este recurso de revisión de causa, sea anulada la sentencia condenatoria impuesta a José León Sánchez en 1955 y se le absuelva de toda pena y responsabilidad.

Este libro lo he trabajado durante *más de mil días*, un día por cada uno de los folios del expediente infame que arruinó mi vida durante 48 años.

Hoy he recibido un fax firmado por el licenciado don Gerardo Rojas Solano, quien me informa de la resolución número 05/347/1998 de la Sala Constitucional de la República de Costa Rica y que tiene fecha de las diez horas y nueve minutos del 24 de julio de 1998.

He sentido un temblor entre mis manos. Durante 48 años mi corazón ha esperado el fallo. Dentro del espíritu comparto este momento con mis lectores dondequiera que se encuentren e independientemente del idioma que hablen.

El fallo de la Sala Constitucional tiene 19 folios y el *por tanto* no más allá de 15 líneas. Está firmado por el doctor Luis Paulino Mora, presidente,[1] y por los magistrados Rodolfo Piza E., Luis

---

[1] En el inicio de los ochenta, durante el gobierno de don Luis Alberto Monge, el doctor Luis Paulino Mora, presidente de la Sala Constitucional de la República de Costa Rica, fue nombrado ministro de Justicia y Gracia.

Uno de los graves problemas que encontró fue que en el Registro de la Nación ya no había espacio para incluir más expedientes judiciales. Ante ello, se llegó a un acuerdo con una papelería nacional para convertir esos viejos legajos en papel higiénico.

El señor ministro de Justicia y Gracia invitó un día a José León Sánchez a su oficina (ya el ex presidiario tenía más de veinte años de haber recobrado su libertad) y le dijo:

Fernando Solano, Eduardo Sancho, Carlos Manuel Arguedas, Adrián Vargas, Gilberto Armijo Sancho... Al respecto, dice:

En el caso José León Sánchez Alvarado:

Se evacua la consulta de la Sala de Casación de la Corte Suprema de Justicia en el sentido de que, respecto a lo alegado por José León Sánchez en el recurso de revisión de causa que origina esta consulta, *constituyen violaciones al debido proceso:*

a) El negarle al imputado José León Sánchez Alvarado el derecho de acceder al estudio de su expediente para impugnar una resolución.

b) El no cumplimiento del principio de la no reforma en perjuicio (*non reformatio in peius*).

c) Tomar en consideración los antecedentes de un niño por hechos durante su niñez, para la fijación de una pena.

d) Si una confesión se produce ante un juez, quien fiscaliza que ésta sea otorgada de manera libre y voluntaria y como acto defensivo, ello no viola el debido proceso. Por el contrario, si ésta es producto de la tortura, deviene el ilícito y no puede de manera alguna fundamentar una resolución judicial.

Circunstancias todas que, con respecto al caso concreto de José León Sánchez, *debe* la Sala de Casación de la Corte Suprema de Justicia establecer al resolver el recurso de revisión...

Al leer las palabras de los señores magistrados de la Sala Constitucional de la República de Costa Rica, país donde se me mantuvo sin libertad por veinte años (toda mi juventud), sentí de repente como la caricia de una brisa bonita: es el viento que viene

---

—He de contar a usted, señor Sánchez, que el expediente sobre el crimen de la basílica va a ser destruido. Creo que esa época de su vida ya está superada y la historia no debe sobrevivir.

—Señor ministro —expresó José León —, por favor ordene usted que no sea destruido mi expediente, pues, de hacerse tal cosa, jamás lograré probar mi inocencia en el crimen de la basílica.

Fue así como en el Archivo de la Nación se guardó el expediente hasta el postrer estudio en la Sala Constitucional en julio de 1988. (*N. del E.*)

desde el Río de las Mariposas y sigue rumbo a la Laguna de Alvarado.

Nunca el día me ha llenado tanto y en tal forma el alma. Desde este momento (48 años después) soy un hombre libre e inocente. ¡Ah, cuántas veces lo dije! ¡Ah, cuántas veces coseché una risa piadosa por declararlo!

El gran escritor español don José María Pemán escribía: "¡Cómo duelen las cosas cuando las cosas se van!"

En el camino largo de 48 años se me han ido muchas cosas... hasta la dulce, pequeña y linda palabra suerte se me ha ido de entre las manos. ¡Mañana y más allá del mañana han de venir nuevas cosas, otros ojos, otras risas y de nuevo podré cultivar en la orilla del camino un semillar de rosas como otros siembran oraciones!

En tantos años he tenido el corazón solo, como un nido que la pajarita abandona en cada primavera. Mañana lo habré de llenar de besos, risas y flores. Ya nunca, nunca, nunca nadie me ha de señalar como se suele señalar una llaga que no quiere sanar, por más que uno lo desea.

El río Papaloapan corre cabalgando sobre la brisa, llevado por las flores que van en su corriente. Llegué hasta la cantina de Aguirre, el primo de Agustín Lara, y le dije:

—Sírveme un margarita fuerte... bien fuerte...

Yo estaba sentado en la misma silla donde el poeta don Agustín Lara tomó su último trago de coñac en su visita a Tlacotalpan, en este Tlacotalpan que el maestro Lara llamó: "Herencia de chocolate, festival de nanche..."

—Dime, Aguirre, ¿a qué se refería el maestro Lara cuando dijo *festival de nanche*?

—A una bebida maya...

De un momento a otro sentí que mis lágrimas caían sobre la copa de limón y tequila...

—Maestro... ¿qué te hace llorar?

¿Qué le podía responder a un cantinero que había sorprendido llorando a tantos hombres borrachos de sol y de tequila?

O quizá debía tener para él una respuesta: decirle que mis lágrimas caían lentamente sobre esta copa de tequila y de limón porque me había alcanzado el ayer...

Tlacotalpan, Veracruz, México
14 de octubre de 1998

Esta obra se terminó de imprimir
en julio de 1999, en
Diseño Editorial, S.A. de C.V.
Bismark 18
México 13, D.F.

La edición consta de 4,000 ejemplares